*JIAOYU*
*XIN LINIAN* ➤➤

新世纪教师教育丛书·修订版

袁振国 主编

# 教育新理念

袁振国 著

教育科学出版社

·北 京·

# 《新世纪教师教育丛书》修订版前言

振兴民族的希望在教育，振兴教育的希望在教师。

教师是一种专门化的职业，它有自己的理想追求，有自己的理论指导，有自觉的职业规范和成熟的技能技巧，具有不可替代的独立特性。教师不仅是知识的传递者，而且是道德的引导者，是思想的启迪者，是心灵世界的开拓者，是情感、意志、信念的塑造师；教师不仅需要知道传授什么知识，而且需要知道怎样传授知识，知道针对不同的学生采取不同的教学策略。教师职业的专门化既是一种认识，更是一个奋斗过程；既是一种职业资格的认定，更是一个终身学习、不断更新的自觉追求。中国教师队伍的培养和培训正在发生着历史性的变革，正在从发展数量向提高质量转变，提高质量将成为新世纪教师队伍建设的主旋律。在这种转变的过程中，无论是职前培养还是职后培训，无论是教育机构还是教师个人，都需要以一种新的姿态迎接这一转变。

我们从对广大中小学的调查中了解到，面对全面推进素质教育的新形势，当今教师迫切需要不断更新教育理念，提高将知识转化为智慧、将理论转化为方法的能力，提高将学科知识、教育理论和现代信息技术有机整合的能力，增强理解学生和促进学生道德、学识和个性全面发展的自觉性。为了响应这种挑战，广大的师范院校和教师培训机构都在积极探索教师教育的新内容和新方法。以华东师范大学为例，1996 年起，就有组织地开发了现代教育理论与教育实践紧密结合的新课程系统和教学模式，这些课程包括：教育新理念、课程理论与课程创新、现代教育技术、教育评价与测量、当代教学理论、教学策略、心理健康指导、网络教学、课件制作、教会学生思维、师生沟通的艺术、优秀班主任研究、中小学教学与管理案例分析、教育研究方法、基础教育改革的理论与实践等。参加课程开发的教师 60% 具有教授、副教授职称，80% 具有硕士、博士学位。这一项目列入了教育部师范司"面向 21 世纪高师教学与课程改革计划"重点项目。我主持了这一项目的研究和实践。根据边实践、边研究、边总结、边改进的方针，经过几轮教学，逐渐形成了一批相对成熟的教材，经过精选整合、修改补充，于 2001 年由教育科学出版社出版。由于这套丛书理念新、注重理论联系实际、强调可操作性，出版以后受到了读者极大欢迎，数次甚至数十次重印，为满足教师教育的新形势、新要求，尽了绵薄之力。

正是由于这套丛书影响大、受欢迎程度高，所以更增强了我们的责任感。丛书出版的六年多来，教师教育的知识、观念不断更新，教师教育的实践不断发展，我们对教师教育课程的认识也不断深化，为此，根据教师教育的新形势和新要求，我们对《新世纪教师教育丛书》进行了修订。这次修订包括两方面，一是对第一版图书进行了较大修订，更新了内容，改善了结构，修饰了语言，修订了错误；二是丛书新增了若干选题，以反映教师教育的新要求。

祝愿丛书与我国一千多万中小学教师共同成长。

袁振国
2007 年 7 月

# 本 书 前 言

　　教育理念是指导教育行为的思想观念和精神追求。只要有教育行为发生，就一定有教育理念在起作用，只不过有些人对此比较明确，有些人则比较模糊。一对农民夫妇教他们的女儿穿针引线，或者教儿子锄草犁田，那是因为他们觉得这是孩子将来生活必要的本领。一个国家拿出财政收入的 15% 或更多，建立强大的国民教育体系，组织庞大的教材编写队伍，确定各级各类教育的教育内容，那是因为政府认为这样做才能保证现代社会本国国民必须具备的素质。随着社会文明水平的不断提高，教育在社会发展中的作用也越来越凸现。对于在有组织、有目的的教育系统中专门从事教育工作的人员来说，具有明确和先进的教育理念，应该是基本的素质要求。教育理念一旦形成，就会成为相对稳定的精神力量，它会影响一名教师如何看待教育的意义，如何看待教师与学生的关系，如何处理教育教学中的各种矛盾，等等。有没有明确而先进的教育理念，有没有对教育理想的孜孜追求，有没有不断改进工作的意识和能力，是一个优秀的教育工作者和一个平庸的教育工作者的根本区别。

　　"全面推进素质教育，一定要抓教育思想观念的问题，要能够明确回答：我们究竟应该树立哪些新的教育思想，转变哪些旧的教育观念。……在教育模式、学习方式正在发生根本性变革的今天，我们在转变教育思想、更新教育观念方面应当如何去做？希望广大教育工作者努力在新世纪的教育改革实践中，开发出更多更好的素质教育案例，不断丰富和发展中国素质教育的新理念。"①

历史是发展的，教育是变化的，思想是流动的，一成不变的教育和不思变革的教育思想是缺乏生命力的，根据时代的特点不断调整我们的思想、发展我们的观点，我们才能成为教育变革的主动者。

好的教育是相对的，没有最好，只有更好。绝对的、统一的"好"教育是没有的。好教育不能通过模仿和抄袭而获得，教育是一种创造性的活动，我们只能根据特定的教育目的、教育场景、教育对象、教育任务和教育者自身的条件确定一种相对较好的教育行为方式，选择和创造自己认为好的教育。

教育是技艺，更是哲学，是艺术，是诗篇，是思想与思想的碰撞，是心灵与心灵的交流，是生命与生命的对话。教育需要用我们的热情和生命去拥抱。

教育事业是一项激动人心的事业，它为我们提供了实现理想、激发智慧的宏大舞台，为教育者和受教育者实现生命的价值、增进共同的幸福提供了无限空间。

《教育新理念》出版以后，受到广大中小学教师的厚爱，先后重印了十多次，很多省市把它作为教师培训的首选教材。很多读者来信、来函或发表书评，称赞本书是"融理论与实践于一体，用生动的故事讲深刻的道理"的可亲可爱之作。这无疑是读者对本书的溢美之词，但它肯定了本书写作的方向和性格，对我个人来说也是极大的鼓舞。坦白地说，我虽然写了近百篇论文，十多部专著，但这本小书是我用心最力的心爱之作。此次修订，删去了第五章"教育研究中心的转移"，不是教育研究方法不重要，而是太重要了，我觉得这样轻松交待不够严肃，所以忍痛割爱。希望有机会为广大中小学教师专门写一本关于教育研究方法的书。顺承原书的风格，这次修订新增了"教学方式的变革""校长的文化使命"和"教育家的诞生"三章。希望大家喜欢。

---

① 陈至立. 更新教育观念是实施素质教育的先导［M］//教育部. 素质教育观念学习提要. 上海：上海三联书店，2001.

# 目　　录

# 1

# 课堂教学的革命

课堂教学是素质教育的主渠道，也是教育改革的原点。

——作者自题

## 第一节　以问题为纽带的教学

### 一、创造力是人人具有的天然禀赋

创造、创新近年来成了出现频率最高的字眼，它越来越受到世人的关注，这是令人鼓舞的。创新能力已经成为一个民族是否具有竞争能力、是否能够立于不败之地的关键。但我经常听到一些校长、教师说，创新是很重要，但那是大学的事，我们基础教育主要是打基础，换句话说，主要是传授知识。

这里首先必须对创新能力或创造能力（这两个概念在我看来完全是同义词）做一点解释。从教育学、心理学的角度看，创新是个体意义上的创新，而不是种系意义上的创新，也就是说，创新不创新是就他个人而言的，而不是与别人比是否有所创新。从个体思维发展的角度说，一名小学生发现了他个人未曾发现的东西，与科学家发现了人类未曾发现的东西，是等价的，虽然在社会价值上他们可能相差十万八千里。我们并不期望中小学培养出诺贝尔奖获得者，但我们却希望或者是要求学校、教师能够不断提高学生的创新能力。从这个意义上说，中小学培养学生的创新能力不仅可能，而且非常必要。因为如果孩子们的创新能力从小没有得到很好的保护和开发，就会逐渐地受到抑制甚至丧失。这样的学生，要想再培养他们的创造力就困难多了。

创新当然希望有创造性的成果，但从学校教育的角度说，创新更在于创新意识、创新个性的培养。现实社会的变化越来越快，我们的学生走向社会以后，能不能成为社会的主人，能不能在千变万化的社会生活中有自己的独立位置，关键在于能不能适应社会生活和工作的不断变化。这种适应绝不是消极的、被动的适应，而是主动的、创造性的适应。

创造性并不神秘。求异思维的冲动和能力，可以说是人人都有的与生俱来的禀赋，是人生下来能够适应各种环境的天然保障。它与人的智力水平并没有简单的正相关，而更多地与文化习惯、与教育影响相联系。我们举一个生动的画圆想象的实验例子来说明这个问题：一位教师在幼儿园的黑板上画了一个圆，问："小朋友们，你们想象一下，这个圆可能是什么？"结果在两分钟内，小朋友们说出了 22 个不同的答案。有的说，这是一个苹果；有的说，这是一个月亮；有的说，这是一个烧饼；有一个小朋友说，这是老师的大眼睛。这位教师拿同样的实验到大学一年级去做。要他们想象一下黑板上的圆可能是什么。结果两分钟过去了，没有一个学生发言。教师没有办法，只好点名请班长带头发言。班长慢吞吞地站起来迟疑地说："这——大概是个零吧？"

这个实验非常简单，却非常能够说明问题。没有受过教育的小朋友在两分钟内说出了 22 种不同的答案，经过了小学、初中、高中教育，经过高考选拔，一路过关斩将进入了大学的优秀学生，面对这么一个简单的问题，两分钟过去了，却没有人回答。被迫回答的班长还"大概"

是个零吧。大学生真的全都失去了想象力了吗？不是的，经过多年教育，他们建立了一个信念：教师的任何问题都是有一个标准答案的，面对这样一个突如其来的问题，他们揣摩不出教师的标准答案是什么，所以就不敢贸然回答，不愿当众出丑。他们关心的不是我怎么看问题，我怎样想问题，而是教师怎样看问题，教师期望的答案是什么。在心理上，他们已经习惯了接受教师的答案，而不是向教师的答案提出挑战。

## 二、创造始于问题

要保护和发展学生的创造性，首先要保护和发展学生的问题意识，进行问题性教学。问题意识、问题能力可以说是创新意识、创新能力的基础。早在 20 世纪 30 年代，陶行知先生就言简意赅地说，创造始于问题。有了问题才会思考，有了思考，才有解决问题的方法，才有找到独立思路的可能。搞学术研究的，一方面有人一辈子找不到合适的课题，另一方面每天都有新的发现；经商的，一方面有人为找不到商机、找不到市场犯愁，另一方面每天都有富翁产生；搞经营、搞管理的，一方面有人埋怨竞争的激烈，另一方面每天都有提高效率的经营策略诞生……这里的关键就在于能不能在没有问题的地方发现问题，在没有机会的地方发现机会，在没有道路的地方开拓道路。有问题虽然不一定有创造，但没有问题一定没有创造。

## 三、问题意识是与生俱来的本能

问题意识、另辟蹊径是人与生俱来的本能，并不需要培养。孩子刚刚勉强学会走路，就试图摆脱成人的束缚，离开成人认为天经地义的、习惯了的大马路，去到那泥塘、石子、杂草丛生的不是路的路上去。说它不是路，那是从成人的眼光说的，说它是路，那是从孩子的眼光说的。孩子们本来并没有关于路的概念，那是因为家长的反复教导和强迫，孩子才放弃了每次不一样的路，走上了大家公认的马路。一旦走上了公认的马路，就再也不去探寻泥塘、石子、杂草丛生之地的乐趣和新奇了。

当小孩开始学会说话以后，说得最多的就是问题："这是什么？那是什么？"无穷无尽的问题。当你回答了他的问题，他接下来就是新的问题——"为什么？"

"没有什么为什么。"这是我们经常听到的家长对孩子的回答。

"那为什么没有什么为什么？"家长以为可以搪塞过去了，不料引来了更大的麻烦。

"你长大了就知道了。"

幸好孩子还没有学习形式逻辑，如果他学了形式逻辑，接着再追问一句："你已经长大了，你为什么不知道！"看你何言以对。

中华民族是一个十分重视下一代教育的民族，为了孩子的教育，父母花多大的代价都舍得。问题是我们要孩子掌握的都是我们认为他们应该掌握的，而孩子感兴趣的问题、出自孩子思维发展自身要求的问题我们却常常视而不见或置之不理。从孩子尚未具备识数能力的时候起，我们就不厌其烦地教给他们1、2、3、4、5；从孩子还在呀呀学习母语的时候，我们就艰难地教给他们A、B、C、D；而对发自孩子内心世界的"为什么"，我们却常常以漫不经心的态度，以"将来长大了就知道"来搪塞他们。

进入学校以后，这种知识教学的倾向，这种"去问题"教育的倾向更是有增无减。所有的孩子第一天走进学校的时候，都是兴高采烈的，都是充满了奇思异想的。每个孩子走进学校的时候都怀有无穷的求知欲和表现欲。因此，第一天当教师向学生问问题的时候，50个学生举起了100只手，每个人都太想回答问题了，所以都举起了双手。面对如此高涨的热情，我们的教师通常的反应是：同学们，要学会举手的正确姿势，举手举一只手，另一只手请放下来。于是100只手一下子减少为50只手；但这并不能妨碍孩子们的积极性，一只手就一只手吧，剩下来的一只手依然举得老高。不仅高，而且左右摇动，无非是想要吸引教师的注意："我要说，我要说!"面对学生的这种热情，教师的反应却是："举手要有正确的姿势，手臂不要离开桌面……"孩子们虽然有些气馁，但他们还是很快适应了这种要求，按照规定的要求不屈地举着小手。

## 四、我们到底追求什么?

小孩子们因为无知而上学，所以孩子们回答问题不正确或提出的问题浅薄甚至荒谬，应该说是正常现象。如果孩子们的回答都是正确的，提出的问题都是高质量的，倒是不正常的了。可是我们却把这种正常现象视为不正常，而要把不正常现象变成正常现象。孩子们回答问题正确时，就会受到教师的肯定和表扬，而回答错误或提出荒谬的问题，则免不了要受到批评和嘲笑。面对不断的批评和嘲笑，孩子们回答问题和提问的积极性也逐渐降低，所以在学校里看到的情形是，小学低年级小手如林，小学高年级则逐渐稀疏，到了初中举手的则是寥若晨星了。高中学生还有举手的吗? 没有了。他们已经没有回答问题和提出问题的欲望了。有谁愿意不断地被批评被嘲笑呢? 不回答问题、不提问不会有任何麻烦，而回答得不好却有不愉快的结果，这是其一; 其二，教师的所有问题都是有标准答案的，提问仅仅是一个手段，渐渐地学生学会了消极听课，等待教师自问自答。随着这种态度的发展，问题意识也在日渐淡化。

1998 年年底，一个美国科学教育代表团到上海市访问，希望听一堂中学的科学教育的公开课。接待人员安排了一所很有名的重点中学为他们开了一堂高中一年级的物理课。任课教师是一位优秀的特级教师。在教学过程中，教学目的明确，教学内容清晰，教学方法灵活，有理论，有实验; 教学过程活跃，教师问问题，学生回答问题，师生互动，气氛热烈; 教师语言准确简练，教学时间安排精当，当教师说"这堂课就上到这里"的时候，下课的铃声正好响起。按照我们习惯的观念，这堂课可谓天衣无缝。下面近百名听课教师随着下课铃声响起，掌声雷动。可是5位美国客人却没有表情。第二天当接待者请他们谈谈他们的观感时，他们的回答出乎我们的意料。他们反问：这堂课教师问问题，学生回答问题，既然教师的问题学生都能回答，这堂课还上它干什么？

中国的教师通过问问题检查学生的预习情况，了解学生掌握知识的程度，如果学生把教师的问题都回答出来了，那说明学生对教师所讲的知识都掌握了，没有问题了。我们经常听到教师下课前问学生："都听懂了吗？还有问题吗？"当学生回答说没有问题了，教师就放心了。有的教师不仅听其言，还要观其行，要抽问学生，当得到的答案都是正确的，也就是都符合标准答案时，教师才会感到学生确实是没有问题了，才会露出满意的微笑。学生没有问题走进教室，没有问题走出教室。我把这种教育称为"去问题教育"。而美国人却不这样理解教育。他们认为：学生总是充满好奇和疑问的，他们走进教室的时候，带着满脑子的问题。教师在回答他们问题的过程中，有意通过情景、故事、疑问、破绽等激发学生更多的问题。教师的回答使学生产生更加多的问题，最后教师不得不投降："你们的问题我已经回答不了了，我的知识就是这么多，我回去再学习，再准备，下次再来回答你们，你们回去也去思考，去寻找答案。"学生带着问题走进教室，带着更多的问题走出教室。这就是以问题为纽带的教育。教师并不以知识的传授为目的，而是以激发学生的问题意识、加深问题的深度、探求解决问题的方法，特别是形成自己对解决问题的独立见解为目的。

我多次听说过类似的故事：国内的高才生到美国去念大学或研究生，学习总是格外地用功，上课认真记笔记，下课认真对笔记，考试前认真背笔记。考试的时候，教师讲了六点，我们的学生绝不会写五点半，保证将教师讲的内容全部还给教师。在中国这样的卷子表明教师讲的内容学生全都掌握了，自然是满分。可在美国最多只能得个B等，通常只能得C等。而一些学生只答了一两点，但有创见，是他自己思考出来的，是从其他资料获取的，这样的卷子才能得 A 等。我们有些学生表示不理解，去询问教师："我们六点都讲出来了，为什么只能得 C 等，而他们只答了一两点，却得 A 等？"教师的回答也是值得回味的："你答了六点不错，可是这六点我都已经讲过了呀！我讲过了，你还说它干什么呢？我讲了六点，那是我思考的，是已有的六种可能性，或解决问题的六种方法。他们只讲了一点或两点，但那是他们自己的。我讲课的目的，就在于启发大家通过我讲的六点，形成你们自己的思考，得到你们自己的答案。"

### 五、冲破观念障碍

中国的孩子放学回家以后，家长们问孩子的第一句话，从黑龙江到海南岛，差不多是一样的："今天的作业做完了吗？"家长们关心的是学校既定的任务完成了没有。世界上还有一个民族也特别关心下一代的教育，那就是以色列民族。当孩子们放学回家后家长们问他们的第一句话差不多也是相同的："你今天在学校向老师提问题了吗？"如果孩子得意地说："我今天向老师提了一个问题，老师没有回答出来！"那家长会像孩子一样的得意，会喜形于色。可是如果中国的孩子回来对家长说他提了一个问题把老师难住了，绝大多数家长会感到尴尬和为难，甚至会斥责孩子："你逞什么能！"

西方哲学史上有一个著名的故事：在剑桥大学，维特根斯坦是大哲学家穆尔的学生。有一天，大哲学家罗素问穆尔，"谁是你最好的学生？"穆尔毫不犹豫地回答："维特根斯坦。""为什么？""因为，在我的所有学生中，只有他一个人在听我的课时，老是流露着迷茫的神色，老是有一大堆问题。"后来维特根斯坦的名气超过了罗素。有一次有人问维特根斯坦："罗素为什么落伍了？"他回答说："因为他没有问题了。"

这使我想起几年前《文汇报》的一篇报道：上海一所重点中学有

一位高才生，无论多么难的数学题，他都有办法解开。但他特别不喜欢进行烦琐的演算。所以尽管他的解题思路、解题步骤总是正确的，答案却往往小错不断。高考时又因为这个缺点，以几分之差而名落孙山。在我们的传统中，解题的精确性——模仿的精确性，比解题的思路更重要。有时整个解题步骤是正确的，就因为最后答案不正确而将分数扣得精光。后来，这位同学获得了西方一所名牌大学的奖学金到国外留学。在大学一年级的课堂上，他总是提出层出不穷的问题。有一次，教师被他的问题问得瞠目结舌，在实在无法给出答案的情况下，这位教师请全班同学起立为他鼓掌。第二年，这位同学成了校长助理。

问题能力在于学生，能不能以问题贯穿教学在于教师。让问题成为知识的纽带吧！

# 第二节　化结果为过程的教学

## 一、知识是从哪里来的？

知识是从哪里来的？

产生了这个问题后我随即想起了一幅有趣的漫画：爷爷问他的孙子："你知道米是从哪里来的吗？"孩子指指装米的坛子说："米是从那里来的。"爷爷啼笑皆非。在孩子的生活经验中，坛子就是出米的地方，而不知道米是从稻来的。稻要经过育种、插秧、灌溉、锄草、施肥、收割、晒干、脱粒等若干工序，每一道工序都有前因后果，每一道工序都会影响收成。

我们的学生对"知识是从哪里来的"这样一个问题，最经常、最简洁的回答是："从书本上来的。"这就如同回答米是从坛子里来的一样，似乎知识是从天上掉下来的，是生来就有的。不知道任何知识都有它的来龙去脉，都有它的产生、发展、更新的过程。更重要的是知识并不是一成不变的，知识的本质并不在于它的确定性和稳定性，恰恰相反，知识的本质在于它的不确定性，在于它的不断变化，知识的本质在于不断地推陈出新。我们总是在教导学生，学习科学知识很重要，而形成科学态度、科学精神更重要。所谓科学态度，就是实事求是的态度，所谓科学精神，就是怀疑的、批判的、探索的、创造的精神。可是这种态度和精神不可能离开学科教学、离开学科发展的实际过程单独进行说教。它必须渗透在学科教学的过程之中。

## 二、没有氧气就不能燃烧吗？

以化学为例。氧气的发现无疑是化学史的重大成就。可是氧气的发现和氧气特性的认识却是不断深化的。早先，人们一直以为物体燃烧是有一种可燃素在起作用，于是在两千年的历史中人们陷入于寻找可燃素的迷茫之中。到了 18 世纪，才由法国杰出的化学家拉瓦锡通过科学的实验证明，物体燃烧是由于有一种帮助燃烧的气体的存在。于是人们发现了氧气，并且确信离开了氧气任何物体都不能燃烧。可是，有没有什么物体在没有氧气的环境里也能燃烧呢？自从发现了氧气以后，人们就认定任何物体离开了氧气都不能燃烧。可是近年来人们却发现，镁在氮气里也能燃烧。它丰富了人们关于燃烧的认识。人们就是这样自己不断否定自己，从而不断发展。再比如，当电被发现以后，人们接着就发现了导电体和非导电体。塑料一直是不导电的绝缘体，可是 2000 年的化学诺贝尔奖却授予了发现塑料通过特殊处理能够导电的三位化学家。由于塑料具有拉伸性、弹性和柔韧性，而且可以做得很细，这一发现为自动化设备的集成电路进一步密集化、微型化开辟了广阔的前景。

多少年来，化学家和数不清的教科书在介绍碳的基本形态时，都只提到两种，即金刚石和石墨。这一金科玉律在 20 世纪 80 年代中后期突然被突破了，新的科学发现，碳的家族中还有一位未发现的新成员，即新发现的富勒体。于是一夜之间，无数的有关碳的物理的、化学的教科书都变得过时了。

最近，纳米技术被各大新闻媒体不断报道，为什么人们对纳米材料如此感兴趣？就是因为纳米材料表现出的许多性能是以前的教科书中找不到的。原来的一些"规律"在纳米材料中都行不通了。

## 三、牛顿力学可靠吗？

物理学的发展更为典型。现在我们瞭望夜空，有遨游于宇宙的人造地球卫星在闪烁；远途跋涉，有手持移动电话可以随时与友人沟通，甚至可以互通文字和画面。面对如此发达的科学技术，我们有时不得不感叹人类的伟大。可是回首思量，400 多年前人类还基本处于愚昧时代。那时人类对自己在宇宙中所处的位置还不清楚。无论是东方还是西方，无论是官方还是民间，都相信地球处于宇宙的中心，太阳围绕地球旋转，这就是长期统治人类的"地心说"。"地心说"既符合人们的经验，我们每天感受到太阳早起晚落，却丝毫感受不到地球的运动；又满足了人类的自尊心——万物皆围绕着我，以我为中心，多好！由于"地心说"与《圣经》中说的上帝把人类安置在宇宙中心的说法相吻合，所以更得到了教会的保护。然而，这样一个"常识"的"真理"却是错误的。当"地心说"在哥白尼（1473—1543）的观察和思索中，无论如何无法解释一系列的天文现象时，一天，他产生了一个连自己也感到惊恐的假设：也许地球并不是宇宙的中心，太阳才是宇宙的中心，不是太阳围绕地球转，而是地球围绕太阳转。当这一假设产生之后，他的许多观察现象都能得到解释了。正是这样一个大胆的、离经叛道的假设，开启了现代科学的大门，使人类告别了愚昧时代走上了现代文明的大道。"从此自然科学便开始从神学中解放出来"，"科学的发展从此便大踏步地前进"①。但是，哥白尼的"日心说"并不是纯粹客观的，他在

---

① 马克思，恩格斯. 马克思恩格斯选集：第 3 卷 ［M］. 北京：人民出版社，1972：446.

"日心说"中保留了"完美的"椭圆形轨道等不符合事实的论点。

100年后，德国天文学家开普勒（1571—1630）在对前人观察到的大量天文资料分析的基础上，提出了著名的行星运动三定律：第一定律——行星轨道是椭圆，太阳在一个焦点上；第二定律——在相等的时间内，行星和太阳的连线所扫过的面积相等；第三定律——任何两行星公转周期的平方同轨道半径长的立方成正比。开普勒的三定律发展了"日心说"，为牛顿的万有引力定律打下了基础。

又过了100年，牛顿（1642—1727）的万有引力定律诞生了。近代科学与古代科学相比，有两大特征，一是用实验可以验证，一是用数学可以精确表达。牛顿创立的力学是世界上第一门具备这两大特征的科学。在牛顿之前，人们普遍认为，天上物体运动的规律和地上物体运动的规律是不同的，一个是做圆运动，一个是做直线运动。但是牛顿证明，不论是天上的还是地上的物体，都要遵循惯性定律、质点运动定律和作用反作用定律，即所谓的"牛顿三定律"。而这三定律的基础是万有引力定律：$F = Gm_1m_2/r^2$（引力的大小等于引力常数 $G$ 与质量分别为 $m_1 m_2$ 的物体的乘积除以两物体距离的平方）。这一定律不仅计算出了行星围绕太阳的运动，卫星围绕行星的运动，还说明了地面上物体的降落运动和抛射运动，以及海洋潮汐的原理。现在我们都知道太阳系有八大行星，可是200年前人们以为太阳系只有六颗行星。这六颗行星都准确地遵循万有引力推算的轨道围绕太阳运行。1781年科学家发现了第七颗行星，即天王星。可是这位太阳系新成员的运行轨道却常常不符合万有引力定律。如果万有引力定律是正确的话，唯一的解释就是还有一颗人们尚未发现的行星在干扰天王星的运行。1846年两位数学家根据万有引力定律用两年的时间精确地计算出了这位尚未露面的成员的位置和轨道，提请天文台观察。当晚，天文学家们就在指定的位置找到了这颗行星，即海王星。从此，人们确立了对科学的信仰。牛顿力学获得了不容置疑的崇高地位。甚至有人认为，牛顿力学已经解决了世界上的所有问题，剩下来的就是怎样运用它了。

　　然而，牛顿力学真的能终结真理了吗？

　　牛顿力学的正确性其实也是非常有限的，比起更伟大的物理学发现来，也许它只能算是其中的一部分。这个更伟大的发现就是爱因斯坦的相对论。

　　牛顿力学的核心概念是绝对时间和绝对空间，时间和空间是相互分离、互不联系的。在牛顿时代，在我们所能感受到的地球范围内的物质运动速度，时间和空间的联系是可以忽略不计的。而爱因斯坦的相对论把物体运动的研究对象拓展到了宏观的宇宙世界，深入到微观的粒子内部，光速成为运动的参照系。在这样的背景下，运动就成为时间和空间的辩证关系，时间和空间都随运动状态的变化而变化。绝对性和相对性成为经典物理学和现代物理学的分水岭。举一个例子来说明：如果你驾驶着一辆汽车按每小时 50 千米的速度朝前开，从车上以每小时 30 千米的速度沿汽车运动方向扔出一块砖，那么这块砖的速度是多少呢？按照牛顿力学 $v = v_1 + v_2$，砖的速度是每小时 80 千米。可是如果你坐在一艘光速火箭上扔出一块砖，牛顿就没有办法回答了。因为没有比光速更快的速度了。而根据相对论，速度乘以时间就得到了长度，并推导出相对论最著名的公式 $E = mc^2$：能量等于质量与光速平方的乘积。

　　如同海王星的发现奠定了牛顿力学不可动摇的地位一样，光在巨大质量引力的作用下会发生弯曲的被证实，奠定了相对论不可动摇的地位。早在 1915 年爱因斯坦就预言，当来自遥远恒星的光靠近太阳时，在太阳质量所扭曲的时空中穿过后，会发生歪曲，这会使这些恒星在天空中的位置发生移动。1919 年发生日全食时，太阳光被遮住了，这种移动就能被看见和拍摄下来。全世界的科学家都在屏息等待这一天的到来。果然，从人们拍摄的照片中确切地显示出爱因斯坦预言的结果：弯曲的时空是真的。爱因斯坦成了新的神。但是，物质宇宙所处的时空处于不稳定状态，要么在膨胀，要么在收缩。爱因斯坦为此感到烦恼。他不断修改自己的方程，唯一的目的是使时空稳定。20 世纪 20 年代初，爱因斯坦和牛顿一样，认为宇宙是稳定不变的。可是在以后的 10 年中，越来越多的天文观察表明，宇宙在膨胀。爱因斯坦和许多其他的科学家一起经过艰苦的努力，经过思想上的不断交锋，建立了宇宙大爆炸理论，开启了人类探索宇宙起源的新航程。

如果说牛顿把人类带进了科学时代，那么爱因斯坦则是把人类带进了宇宙时代。可是我们绝不会因为有了爱因斯坦而否认牛顿，也不会因为有了牛顿而小看开普勒或哥白尼。人类就是这样不断学习前人又不断打破前人的结论，这就是知识产生的过程。可是我们的教科书到现在还在谈论一只苹果从树上掉下来砸了牛顿的脑袋，产生了万有引力定律的现代神话，而不是把时间和精力放在从哥白尼到开普勒、从开普勒到牛顿、从牛顿到爱因斯坦的科学发展历程上。

### 四、三角形的内角之和等于 180 度吗？

数学是一门人为的科学，是根据人自己的定义进行的演绎、推理，从这个意义上说，数学是最严密、最无懈可击的。可是数学的发展同样是不断推陈出新的过程。比如学习平面几何接触的第一个定理"三角形的内角之和等于 180 度"，自从欧几里得几何诞生以后，这一直是不容置疑的铁定真理。可是三角形的内角之和一定等于 180 度吗？不一定。你不妨拿一个篮球来，把球面上的三个点连起来看看，它们的内角之和是不是 180 度。不是的，它大于 180 度；你再把球的气放了，在凹进去的球面上把三个点连起来看看，它小于 180 度。这就是球面几何。球面几何是 19 世纪末、20 世纪初才诞生的，可它诞生之后就在航天学、地理学、建筑学、力学等方面显示出巨大的价值。因为地球是个球面，如果要建造一座大跨度的桥梁或水坝，实际上就是在抛物线上建造它们，这时候就必须考虑到抛物线的特性。

$1+1=2$ 更是颠扑不破的真理了吧？其实也不然。$1+1=2$ 只有在十进位系统中才有意义，离开了十进位系统就完全是另外一种符号系统。300 年前德国哲学家、数学家莱布尼茨发明了二进位制，仅仅用 0、

1 两个数字就完全可以进行与十进位制的对等运算。只是由于它的长度太长，太麻烦，缺乏应用价值，只被人们作为一种游戏的活动。可是谁能想到，250 年以后，也就是距今天 50 多年前，二进位制成了计算机的语言基础，成了方兴未艾的数字化的基础。二进位制将怎样改变人类的面貌，恐怕无论多么大胆的设想都不会过分。一切事物都在发展之中，一切知识都在发展之中，一切科学都在发展之中。只有在思想深处认识到这种发展，只有使这种变化发展的观念成为思想方法，成为思维习惯，成为生活的信念，才能自觉地不断更新知识，才可能真正获得创新的精神和勇气。

## 五、过程教学比结果教学更重要

知识是人们认识的结果，是已经获得的结果，也是已经过去的结果。知识的学习和教学无疑是必要的，但我们太注重认识结果的教学了，我们相信已有的知识都是千真万确的，相信用已有的知识武装头脑就足够了。如果在知识发展缓慢的时代这样想还能够应付世界的变化，还能够容忍的话，那么，在知识、信息更新的速度日新月异的时代，这就不能容忍了。我们不仅希望学生掌握知识，更希望学生掌握分析知识、选择知识、更新知识的能力。简单地说，智慧比知识更重要，过程比结果更重要，知识是启发智慧的手段，过程是结果的动态延伸。教学中能够把结果变成过程，才能把知识变成智慧。

## 第三节　以综合为导向的教学

### 一、世界是综合的

人类为了认识世界非常聪明地将世界分割开来，进行了抽象的分析。人类认识世界的过程可以看做是一个不断深化地对世界进行分析的过程。早先，并没有关于哲学、自然科学和社会科学的分类，对自然、对社会生活、对人类思想的研究是浑然一体的。哲学是对所有智慧活动的总称。到现在为止，在西方的许多大学里还留有明显的痕迹，理科博士被授予 Ph. D.，即哲学博士学位。近代以后自然科学才彻底从哲学中分离出来，再后来社会科学又分离出来。人类进入了分析的时代，学科日益增多。人们把自然科学分为数学、物理学、化学、生物学、地理学、天文学……把社会科学分为社会学、经济学、法学、伦理学、语言学、教育学……可是世界本身并不会因为人类的分类而发生任何的变化，自然现象也好，社会现象也好，依然是浑然一体的。在实际生活中你永远找不到一个纯粹的数学问题，也找不到一个单纯的经济学问题。哲学家、教育家杜威曾举过一个例子很形象地说明了这个问题。在马市上看到一匹马，不同的人看到的内容是不同的，动物学家、骨骼学家和马贩子分别看到的是它的进化程度、成熟程度和值多少钱，可是马就是一匹马。同样，当你面前放着一杯水时，你可以从物理学的角度去分析：它的体积、重量、温度；也可以从化学的角度去分析：它的成分、新鲜程度；还可以从营养学的角度去分析：有多少对人体有营养的物质，有多少对人体有害的物质……但不管你从哪个角度去分析，水还是那杯水，也仅有一杯水。你不可能拿到一杯单纯物理的或化学的或营养学的水。问题在于当你拿到一杯水时，能不能根据需要运用你的已有知识对这杯水进行物理的或化学的或营养学的分析。也就是说，能不能综合所学的知识根据需要解决问题。

## 二、高分低能的本质——知识的割裂

根据比较，我们的中小学生在学校所学的知识，在数量上并不比任何一个发达国家的中小学所学的知识少。我国高中所学的许多内容在国外要到大学一二年级才学习。而且，我们的学生普遍的考试成绩都不低，他们对相当精深的专门知识都能掌握。遗憾的是，在生活中他们解决实际问题的能力却很低，而解决这些问题的知识他们是完全拥有的。一位教初三数学的教师有一天突发奇想，向全班学生提出了这样一个问题：我们教室的体积有多大？全班同学异口同声地说："这简单，你告诉我们长、宽、高。"教师说不知道。同学们又异口同声地说："那就没有办法了。"教师反问同学们："你们就不能想想办法吗？比如，量一量？"同学们受此启发，觉得茅塞顿开，又异口同声地说："你给我们尺。"教师说没有。"那就没有办法了！"教师没有办法，只好再次提示："你们浑身不都是尺吗？""对啊！我们的身高、臂长、掌宽都是尺啊。"很快，这个问题迎刃而解。关于这个问题的每一个具体知识对初三学生来说，都是非常简单的，可是要把它们综合起来解决一个问题时，全班四五十个学生却一筹莫展。

这使我想到一个相反的例子。大神探福尔摩斯是家喻户晓的。他给人的感觉是无所不知、无所不能的。有一天，他的助手华生突然对他的知识结构发生了兴趣，对他进行了一次知识结构的调查，结果使华生大为惊讶：

文学知识——无。/哲学知识——无。/天文学知识——无。/政治学知识——浅薄。/植物学知识——不全面，但对于莨菪制剂和鸦片却知之甚详。对毒剂有一般的了解，而对于实用园艺学却一无所知。/地质学知识——偏于实用，但也有限。但他一眼就能分辨出不同的土质。他在散步回来后，曾把溅在他裤子上的泥点给我看，并且能根据泥点的颜色和坚实程度说明是在伦敦什么地方溅上的。/化学知识——精深。/解剖学知识——准确，但无系统。/惊险文学——很广博，他似乎对近一个世纪中发生的一切恐怖事件都深知底细。/提琴拉得很好。/善使棍棒，也精于刀剑拳术。/关于英国法律方面，他具有充分实用的知识。（见《血字研究》）

福尔摩斯与华生的对话就更值得玩味了。华生问他:"你的知识是如此的有限,为什么能够无所不通、料事如神呢?"福尔摩斯顺手打开面前的酒柜说:"我的酒并不多,也并不是太高级,但什么酒放在什么地方我一清二楚,我可以随时拿到我所需要的酒。而很多人的酒柜很大,却杂乱无章,找不到他所需要的酒。"福尔摩斯最大的特点就是能够在需要的时候调动他所具有的有限的知识,当他觉得知识不够用时,及时补充知识。不能综合运用自己的知识,就像杂乱无章的酒柜,数量虽然不少,可惜实际需要运用的时候却无法调动。

## 三、知识的综合与知识的综合教育

20 世纪 50 年代以后,科学发展的最大特点就是在两个或多个学科的边缘,在学科交叉、重叠的地方产生重大突破;在各个学科、在各行各业最活跃的人才总是具有强烈综合知识能力的复合型人才。为了适应这种变化,我国高等教育已经做了重大改革,将学科分类目录从近千种合并到 800 多种,后来又合并到 500 多种,2000 年又合并到 251 种,并且在 3 ~ 5 年内可能进一步合并。以前大学里一个系有好几个专业,现在好几个系并成了一个专业。复旦大学前校长杨福家教授说,他们核物理专业的 10 个毕业生中最多有 1 个毕业后的工作与核物理有关,其余的活跃在金融、企业、行政等各个领域。他说,这不但不是教育的失败,而且是复旦的成功:"我们的学生具有广阔的适应能力,有在各个领域成才的潜力。"实际上,发达国家随着高等教育的普及化,大学的专业概念已经越来越淡化,基础教育上移,通识教育增强。以著名的哈佛大学的课程为例,该大学最近一次的改革把所有专业的课程都分成三部分:专业课程 + 选修课程 + 核心课程。核心课程是每个专业都必须开设的,包括六类十种:外国文化、历史研究、文学艺术、伦理思辨、科学(物理、生物环境)、社会分析。

与高等教育对综合发展潮流的反应相比,我们的基础教育显得明显滞后。大学文理科的界限在模糊，中学的文理科界限却很清楚，高中就开始分文理科；大学课程的类型越来越多样，种类越来越丰富，中小学的课程基本上还是法定的必修课，课程的种类也基本没有变化。当然，我们并没有必要拿大学与中小学简单相比，同时我们也欣喜地看到，综合理科、综合文科、文理综合的课程和教学正成为新的时尚，已经在广大的中小学推广开来。但如何使学生具有综合运用知识的能力成为我们的基本理念，且渗透在每门课、每节课的教学之中，绝不是轻而易举的。

叶圣陶先生早在20世纪40年代初，任职四川省教育科学馆专员时就说过："学校里的课程各个分立，这是不得已的办法，不分立就无从指导，无从学习。但因为分立了的缘故，某种课程往往偏于一种境界，如数理化偏于逻辑的境界，历史地理偏于记忆的境界，公民训练偏于道德的境界，等等。""教育的最后目标却在种种境界的综合，就是说，使每个分立的课程，所产生的影响，纠结在一块儿，构成个有机体似的境界，让学生的身心都沉浸在其中。"① 要使学生能够"沉浸其中"，教师首先要进入这一"境界"。要求每一位教师能够胜任两三门课程的教学也许难度较大，要求每位教师熟悉学生所学习的全部内容也许并不过分。可是现在最缺乏的恐怕就是能够在学科间相互沟通的教师。不要说文理沟通，就是文科与文科之间、理科与理科之间能够沟通的也很缺乏。听说浙江省早先进行理科综合教学改革的时候，综合了数学、物理、化学的教材，上课时三名教师轮流上课。这不仅达不到综合的目的，而且原先单科知识的系统性也不能保证了。可见，综合性教学的关键是教师综合知识的水平和综合运用知识的能力。由此，它提出了三个相关的要求：

第一，教师综合意识与综合知识的自我更新；

第二，培养教师的大学改进课程结构，跨越学科界限，拓宽学术视

---

① 吕达. 关于我国中小学课程、教材改革的思考［M］//我的教育观. 广州：广东教育出版社，2000：203.

野，培养适应综合性教学的新师资；

第三，改进教师在职培训的内容结构，突破单科进修的固定模式，为教师的跨学科进修提供机会。

## 第四节　研究性教学

### 一、研究并不神秘

中国人一提到研究二字，就有点肃然起敬，似乎那是很神圣、又是很困难的工作，并不是一般人所能及。现在"研究性课程"已经走出了高堂深院，走进了基础教育的课堂。但绝大多数人还是认为那是高中阶段才适宜开设的课程。如果对研究性课程有自己明确的定义，放在高中开设，当然也不是不可以，但如果以为研究性学习和研究性教学也非得在高中才能进行，那就大谬不然了。

在英语中，关于学习，经常出现的词汇有两个：learning 和 study，关于研究也有两个经常出现的词汇：study 和 research。learning 侧重于接受性学习，research 主要指学术性研究，而 study 一词从学习的角度说，是带有研究性的学习，从研究的角度说，则是带有学习性的研究。study 与学习的内容有关系，但更是指一种思想、一种态度、一种方法。我这里说的研究性教学就是在这个意义上讲的。简单内容的学习同样可以具有探索性，而复杂、深奥知识的学习照样可以是接受性的。我们可以把知识变成思想，也可以把思想变成知识。这全在于教育者的观念和实践。

如同我们在前面说的问题意识、创新意识是与生俱来的天性一样，探索意识也是与生俱来的本能。问题仅仅在于，在教学中我们是重视、保护、诱发、激励这种天性，还是忽视、抑制、挫败甚至扼杀这种天性。婴儿降生不久就会对特别的声响、异样的光线做出明显的反应；彩色的图片、动态的画面总是更容易引起我们的注意；矛盾的现象、反常的话语无疑更容易引起我们的兴趣。一个学前儿童蹲在地上观看红蚂蚁和黑蚂蚁的战争，可以一蹲半小时甚至更长。在这半小时中，他不但在观察，而且在研究，他可能发现蚂蚁世界的许多秘密。诸如小蚂蚁与小蚂蚁的群体作战，蚂蚁王与蚂蚁王的单挑独斗；蚂蚁与蚂蚁的团结协作以及战场转移的某种规律（确实，本人在学前就有过这种体验）。人们这种天生的好奇心、探究心正是研究性教学的心理基础。这种好奇心、探究心不仅是学习的巨大动力，而且这种好奇心、探究心的满足是人们精神上的极大愉悦。从这个意义上说，研究性教学不仅是重要的教学方法，是日后继续独立学习、独立处理问题的生活能力的重要保证，而且是以学生发展为本的价值追求。

## 二、三个案例

第一个案例。在日本的时候，我目睹过日本一所小学三年级学生研究性教学的生动例子。教学的主题是如何参与社区活动，为社区作贡献。课堂气氛非常活跃，同学们争先恐后地发表意见。当一个小朋友说，我们的社区少一只邮筒，建议增设一只邮筒时，老师眼睛一亮，觉得这是一个很好的话题，便加入了讨论。他问，为什么说少一只邮筒呢？反过来，这个问题就成为：增设一个邮筒的理由是什么呢？增设一个邮筒的条件是什么呢？然后，他把这个问题分解成若干的小问题：社区的成员也就是孩子的家长们认为有这个需要吗？邮递员怎么看？邮政所长怎么看？一般情况下，邮筒与邮筒之间的距离有多远？增设邮筒有什么政策上的规定？如果增设邮筒的话，经费有没有困难？设在什么地方最合适？接下来，他就把同学们分成几个小组，分别去采访家长、邮递员和邮政所长，去考察邮筒和邮筒之间的距离，并要求同学们把调查和考察的结果写成报告。第二天，孩子们把采访的结果纷纷带到学校来了。有的说，我们的爸爸妈妈很支持，说这个想法很好；有的说，邮递员叔叔没有意见，增加一个邮筒对他影响不大；有的说，我们这个社区邮筒之间的距离明显比其他社区邮筒之间的距离长；有的说，邮政所长说了，如果需要的话，邮政所自己就可以决定。于是，教师和大家一起把这些报告汇总起来，形成了一篇《在某某地增设一个邮筒的建议》的报告，送给了邮政所长。所长很激动地对同学们说："我感到很惭愧，很感谢大家，这本来应该是我的工作。我保证明天早上在你们上学的时候，你们就会看到一个新的邮筒建在路边上。"第二天早上，当孩子们上学的时候，看到穿着绿色新装的邮筒已经竖立在那里时，心里的那种兴奋就不用说了。

　　这当然可以说是一堂社会活动课，可又何尝不是一堂生动的研究性课程呢？

　　所谓研究，首先最重要的是要觉察到问题（这里的问题是觉得缺少一只邮筒），然后形成某种假设（这里的假设就是需要和应该增设一只邮筒），然后或者通过实验，或者通过调查，或者通过文献整理，等等，去验证或推翻假设，然后把研究的过程、得到的数据写成报告，最后，如果有可能或需要的话，提出某种建议。关于一只邮筒的讨论完全满足这一程序。在研究过程中，同学们不仅学习了研究的方法，而且学会了协作，增强了社区主人的意识。

　　第二个案例。中国的一位留学生在美国拿到学位在一所大学任教后，把自己的儿子带到美国小学读书。孩子适合的年级是五年级。但美国小学的自由随便和只鼓励不纠错的教学传统使我们这位学者深感担忧。担心这样学不到什么，并动了还是把小孩送回国读书的念头。但一年多以后的一件事极大地改变了他对美国教育的看法。有一天，孩子放学回来后问他："什么叫文化？"这是一个大得叫人很难简单说清的问题。没有办法，只好硬着头皮说了一通。儿子显然不满意，便不再问他的父亲。接下来的一个星期里，只看到孩子忙得很起劲，跑图书馆，浏览网页，打电话和同学交流，邀小朋友回来商讨。一个星期以后，从电脑里打印出一份报告来：什么叫文化？从各种途径得到了关于文化的

17 种定义，以及它们的出处；最难能可贵的是，孩子都不同意这些观点，得出了自己的意见：所谓文化就是一个民族适应形势变化的能力，适应形势的变化，文化就生存、就发展，不适应变化，文化就消亡。接下来还说，如果要继续研究，还有如下参考文献。列了整整三页的参考文献。

受过正规论文写作训练的人都知道，这就是一份学术论文的开题报告。有对文献的收集和整理，有自己的假设，有进一步研究的计划。特别是有自己的创见。

第三个案例。我国一城市郊区初中三年级的一堂环保课。话题是这样开始的，教师问学生们：我们居住的区域有什么污染的问题吗？学生们反映最强烈的问题集中在本区河流的污染问题上。那么好，既然大家都认为我们区的河流有严重污染的问题，那我们就先从本区河流污染着手来研究一下水污染的指标。于是学生们分头到图书馆、互联网上去查找资料，获得了水污染的各项指标；然后分组取来水样进行物理的、化学的、生物学的检测，这过程中自然免不了及时学习补充以前没有学习过的知识和检测的技术；然后分别写出报告。他们发现，有多项指标超出了正常标准，严重的超过几十甚至几百倍，深深感受到污染问题的严重性；然后再分组去了解污染源，发现了多家排放污染物的工厂、宾馆以及城市生活排放水的问题；然后，他们进行了一次热烈的讨论，为治理本区河流的污染献计献策；最后，教师组织学生们把他们研究的成果写成报告，并提出了治理本区河流污染的建议送给了区政府和市政府，受到了政府和社会舆论的高度赞扬。

## 三、研究性教学的特点

可见，研究性教学并不是高不可攀，事实上研究性教学就在我们身边，只是你并没有注意它就是了。

拿上面的三个案例与传统的、主导的教学做比较，可以发现这样一些重大差别：

第一，研究性教学是开放性的，非标准答案的。接受性教学与研究性教学的根本区别在于，接受性教学是有标准的、预期的答案，而研究性教学没有甚至不可能有标准答案。就拿"文化"研究的这个例子来说，教师对文化这一概念到底应该怎样下定义并不在乎，教师关注的是学生怎样找到解决问题的切入口，怎样形成假设，怎样查找资料，怎样进行论证，怎样形成真正属于自己的见解，而不在于要得到什么统一的答案。有什么样的教学理念、什么样的教学意识，就有什么样的教学方法。如果没有开放的理念，即使有开放性的题目，也可以把它变成接受性的甚至是牵强附会、死记硬背的教学。举个例子来说，有一年语文高考有一道要求归纳下列短文的中心思想的题目：

先秦时期，一名教师和他的一名学生到一个城邑去，可是赶到城外时，城门已经关上了。他们只能在城墙外等到天明。城外天寒地冻，他们衣着单薄，一夜过来，冻死无疑。但如果把两个人的衣服集中到一个人的身上，则可以救一个人。谁肯做出牺牲呢？教师对学生说："弟子，我老了，你应该敬老尊师，把衣服让给我。"学生则说："老师，我还年轻，你应该爱幼辅生，把衣服让给我。"闻听此言，教师黯然神伤，想："罢了，现在人心不古，让我去死吧。"

这道题目的标准答案是"表现了教师舍身救人的精神"。老实说，如果让我回答，这个答案是最不可能想到的。这本来是一个很有开放性的题目，完全可以仁者见仁、智者见智，用来启发学生的发散性思维，只要言之成理、持之有故即可。可是对这样一个本没有标准答案的问题一定要弄出一个标准答案来，结果荒谬不说，抑制了学生的自主性、探索性是更悲哀的。

第二，研究性教学常常需要综合运用知识。学科知识是分析的，是专门化的、分析化地认识世界，是人类走进文明的重要步骤。学校教育为了有效地传授人类积累的知识，采取了分科教学的办法。随着人类专门化知识的日积月累，学校教育分科教学的时间越来越长。但现实世界本身是综合的，这就造成了越是受教育，越是有背离真实世界的危险。而研究性教学是从问题出发的，是调动、综合各科知识的活动，至少是调动和综合本学科前后知识的活动，而且常常要求学生去寻找、添加没有学习过的知识。传统教学中的作业一定是根据已有知识编制的，而研究性教学中的作业是根据事实需要展开的。这就决定了它的综合特性。

第三，研究性教学常常与生活密切联系，鼓励协作性学习。研究性教学是有计划的，但却不是唯计划的。研究性教学的问题经常是自发地产生于学生中间，经常是生活化的，社会化的。这样的好处在于促进学生养成在现实生活中发现问题的习惯和敏锐性，在于将学习的知识运用于生活中需要解决的问题。研究性教学极大地有利于改善教育与生活实际相脱离的状态。

### 四、确立课程意识

所谓课程意识，最简单地说，就是教什么的意识，而教学意识是怎么教的意识。长期以来，我们只有教学意识，而没有课程意识，考虑的是怎样把规定的内容比较好地教给学生。这是由于长期以来从课程种类、课程内容到课程时数全都是统一制定和统一要求的，所以从教师、校长直至省市教育主管部门领导都不需要也不可能形成课程意识。而没有课程意识要对教学进行深刻的变革，是不可能的。因为对"教什么"的理解不同，对"怎样教"自然也就不同。林林总总的知识浩如烟海，什么知识最要紧？什么最有价值？这是课程理论中最基本也是最深刻的一个问题。千百年来，思想家、教育家对这个问题的不同回答形成了不同的课程流派。有些人强调抽象的知识，有些人强调实用的知识；有些人强调知识本身，有些人强调掌握知识的方法。我们现在的课程体系和教材体系，并没有为研究性教学提供现成的条件。我们到底给学生什么知识，怎样组织这些知识，用什么方法评价这些知识的掌握情况，对每个教师来说都是新问题，需要结合学科知识体系、社会生活需要和学生身心发展规律综合思考。今天的一名优秀教师，再也不仅是忠实圆满地教授规定内容的教师，而且应是主动地、合理地、创造性地丰富和调整教学内容的教师，是将课程与教学联系起来的教师。

## 第五节　追逐知识前沿的教学

### 一、从"哥本哈根研究所"说起

量子力学的发展是 20 世纪科学的重大成就之一。量子力学是描述微观世界结构、运动和变化规律的物理学科。从半导体、晶体管到集成电路、信息产业；从核能到激光，无不以量子力学的发展为前提。说到量子力学，不能不说到丹麦物理学家 N. 玻尔（1885—1962），他是经典量子论和现代量子论的创立者之一。1913 年他把量子化的概念引进原子结构理论，于 1922 年获得诺贝尔奖。后来他又提出电子的波动理论模型与它的粒子性的互补理论，使经典量子力学进入了现代量子论时代。

丹麦是一个很小的国家，但在量子力学的创立过程中，玻尔于 1921 年创立的丹麦哥本哈根理论研究所起到了关键作用，成了对 20 世纪物理学和哲学有重大影响的"哥本哈根学派"，形成了 20 世纪 20 ～ 30 年代前后世界物理学研究的主要中心之一。研究所吸引了一大批有才华的年轻物理学家来学习和工作，先后有七八人获得诺贝尔奖，其中最有代表性的是玻恩、海森伯和泡利，他们发现的"测不准定律""互补原理"和"不相容原理"、量子矩阵力学和量子统计力学等成为量子力学发展的一个个里程碑。

哥本哈根研究所之所以能够取得如此辉煌的成绩，成为科学发展史上的靓丽风景线，固然与玻尔的崇高威望有关，更与研究所民主的学术气氛和玻尔不断追逐学术前沿的教学风格有关。

玻尔讲学有一个最大的特点，自己知道的内容、自己已经搞清楚的问题不讲，讲的问题都是自己正在思考的问题。所以来到哥本哈根研究所的学者们接触到的问题始终是学科最前沿的问题，教学上的突破就可能预示着科学上的突破。玻尔在讲学的过程中经常凝神思考，忘了学生的存在，几十分钟不讲一句话。可以想象，当时所有参加研讨的人的大脑也都在飞快地运转。

无独有偶，我国杰出的数学家华罗庚讲学也有这个特点，经常讲的问题就是他正在思考的问题。数学家杨乐在一篇回忆华罗庚的文章中说，他在读研究生时，听过华老很多课，但印象最深的一堂课却是华老"挂黑板"的一次。华老在证明一道原以为容易得到证明的题目时，发现有漏洞。他没有采取回避和搁置的办法，而是和大家一起思考，站在黑板前整整45分钟，直到把问题解决。在这过程中包含了多次的尝试失败。学生们在这种没有预期答案的情况下，思维的竞技状态达到了最高的水平。

高水平的研究生课程可以用这种方法，普通的中小学教学可不可以用这种方法呢？数学家陈景润先生中学时期就立志解开哥德巴赫猜想之谜的故事，可以说明这个问题。陈景润在中学时期就显露了杰出的数学才华，他的老师为了满足他不断增长的数学好奇心，给他介绍了哥德巴赫猜想的内容，即一个质数一定是两个素数之和。但同时又告诉他，这个问题太难了，是数学分支——数论的尖端难题。如果说数论是数学的王冠，哥德巴赫猜想则是王冠上的明珠，很多大数学家都想摘而没摘到。陈景润说，那我一定要摘下这颗明珠。他的老师听后，哈哈大笑：这可不是件容易的事，你要摘这颗明珠就如同想骑自行车上月球一样。这位教师还是比较开明的，但在他的观念中，科学前沿的问题绝不是中学生可以接触的。可是正是他的这番话，使得陈景润从此立下了摘下这颗明珠的雄心大志，把毕生的精力献给了数学事业，对数论的发展作出了杰出的贡献。

## 二、循序渐进与跳跃式发展

在我们的教育学教科书上无不写有循序渐进的原则：由浅入深、由近及远、由易到难。教学强调环环相扣，步步为营；每一条原理都要讲解清楚，每一个概念都要严密证明。这对于打下扎实的基础、形成缜密的思维有很大的好处。但这对于创新思维，对尽快接触科学前沿却成为障碍。随着人类积累的知识越来越多，随着学科的基础越来越厚，我们要学习和教学的东西也就越来越多。如果我们恪守按部就班的知识教学程序，如果不谋求跳跃式学习，将有一个极大的危险：我们离当代的知识、离知识的前沿会越来越远，永远接触不到科学的研究前沿。而美国式的教学却是谁是权威就瞄准谁，谁是最大的权威就向谁挑战。这里就要追问一个深刻的教育理论问题：我们进行知识教育的目的到底是什么？难道我们学习知识的目的仅仅是为了记住知识，我们证明定理的目的仅仅是为了确信定理是正确的吗？显然不是。学习知识是为了运用知识解决当下的问题，证明定理是为了推论自己的命题。我们不仅要学习知识，不仅要掌握知识，更要创造知识，更要学会运用知识创造性地解决自己的问题。一个人的生命是有限的，我们用毕生的精力也不可能学会全人类的知识，因此我们必须学会有选择地学习知识，构建个性化的知识，也就是符合自己能力结构和兴趣结构的知识，有利于自己创造性地转化的知识。

网络时代的到来，将使教育从"学校选择适合教育的人"向"个体选择适合自己的教育"转变，循序渐进的教学原则必须与跳跃式的学习相结合，不断接触最新的科学成果，经常问津人类共同关注的科学难题。涉及难题并不是就要解决难题，但想要解决难题却必须以涉及难题为前提。这一观念将对我们的教师形成尖锐的挑战。我们现在绝大部分教师大学毕业，在学校工作几年后，几乎就不再关心科学前沿，对科学发展的最新动态不了解、不熟悉甚至没有热情。这是非常可怕的。据说某一大城市对重点中学的高中理科教师进行过一次关于科学最新成就的考查，考查的试卷同时让高中的学生作答。其结果令人震惊，学生的平均成绩高出教师的成绩一个标准分数。我们知道，本来高中生的主要精力差不多用在准备高考上，学习任务很重，他们所接触的科学前沿知识仅仅是偶尔从报刊、电视上获得的一鳞半爪的知识，可是就是这点知识我们的教师也比不过。可见，要引导学生跳跃式地学习，不光是个观念的问题，还有个不断学习、知识更新的任务。

### 三、直线教学与散点教学

根据现在我们对教学内容的安排和教学的程序，要实现跳跃式发展是很困难的。因为我们是直线教学，也就是说，教学内容是完全安排好的，既不能跳过也不能旁骛，我们要求所有的学生学习同样的知识，并且用同样的标准要求和检查他们。之所以这样做，是因为我们认为这些知识是最基本的，是无法跳过的。可是这样的假设既缺乏事实根据，也不利于学生的个性发展。

第一，关于什么知识是必要的基础，这历来就是一个争论不休的问题。拿中国的数理化教材与美国的或俄罗斯的或其他哪个国家的数理化教材做比较，你会发现，没有一个国家的教材是完全一样的，有些相同年级教材的内容相差三分之二。毫无疑问，每个国家的教材编写专家们都试图将最重要最基础的内容教给学生。这样的差别就说明对基础的理解本身就是主观的选择。为什么我们为学生选择好了一切，而不让学生自己去选择呢？散点教学则是另外一种思路，另外一种内容的编排方式，它不是把所有重要的东西都选择好了给学生，而是选择部分重要的东西交给学生，让学生自己去探索若干知识点之间的联系，补充他自己认为需要补充的知识。

第二，关于学习无法跳过的假设也是不符合事实的。其实在学习中或多或少地都要有必要的跳跃，很多人还能够实现比较大的跳跃。没有准备好充分的基础知识就获得了重要的创造发明、获得了诺贝尔奖的大有人在。20世纪两位最具创造性才能的科学家爱迪生和比尔·盖茨，都不能说他们的基础有多扎实。爱迪生是小学三年级退学的，比尔是大学三年级退学的。在知识堆积如山、信息铺天盖地、变化日益加快的今天，追逐前沿的选择性学习恐怕才是最要紧的。从浩如烟海的信息中选择最有价值的知识，最个性化的知识——即最符合自己能力结构和竞争需要的知识才是最重要的。散点式教学的目的也就是为这种选择提供一个空间。

## 四、不直接回答问题

美国著名的生物化学家N.伯格是现代基因工程技术的创始人。他因利用基因重组技术将DNA键与外来的DNA片段结合，形成新的遗传基因，获得1980年的化学诺贝尔奖。伯格从小就喜爱科学，中学时他参加了课外生物小组，辅导教师叫索菲亚·沃尔沃，小伯格有不懂的问题向索菲亚提问时，她很少把答案直接告诉他。起初，伯格对索菲亚这种教学方法的意义并不了解。原来，索菲亚并不把灌输现成的知识作为重点，而是启发学生们在过程中发现问题，并教给他们如何利用图书馆查资料、如何通过实验来寻找答案。在这一过程中，小伯格发现，自己的收获往往比事前预想的还要大。

送人以鱼，不如教人以渔，教是为了不教。索菲亚认为，教会学生自己去发现和寻找答案，远比传授知识重要得多。而科学给人的乐趣主要在于科学的探索之中。

我还想再讲一个故事。有一位数学教师是一位业余数学研究者。他发现他的学生中有一个学生很有数学才能，便经常给他出一些比较艰深的课外习题，这个学生总能顺利完成。有一次，这个学生放学前又向老师要题目，老师顺手就从笔记本里抽了一张纸给他。可这次的题目却不像以往那么容易解决，一直到深夜两点还解不出来。但是，经过紧张的思索，终于还是被他找到了答案。第二天，这个学生把解的题送给老师时，老师简直不敢相信这是真的。因为夹在笔记本里的那道题目是一道数学难题，是他自己苦思冥想了几个月而未解的题目，那天随手给了这个学生。这个学生后来成为很有成就的数学家。他回忆说，如果当时老师告诉他这是一道数学难题，也许他根本就没有勇气去解决了。在前沿性教与学的问题上，也许心理上的障碍比科学上的障碍更难跨越，有时候不是能不能的问题，而是敢不敢的问题。

前沿性与基础性、循序渐进与跳跃式是一对矛盾，西方教育比较好地注意到了前沿性、跳跃式教学的必要性和可能性，利用了这种教学对刺激学生的探索精神和主动参与的优点，对促进学生的创造性发展、超常规发展起到了较好的作用，但在打好基础这方面觉得有欠缺；而我们在较好地传授知识、打下坚实的基础方面有优势，但在促进学生大胆地自我探索、走向世界前沿这方面比较保守。现代社会人才的竞争，特别是创新人才、领头人才的竞争十分激烈，要保持我们在这一竞争中立于不败之地，就必须加大教学改革的力度，实现课堂教学的革命。

## 讨论题：

1. 怎样理解课堂教学中问题与知识的关系？
2. 怎样理解课堂教学中过程与结果的关系？
3. 怎样理解课堂教学中综合与分科的关系？
4. 怎样理解课堂教学中研究与接受的关系？
5. 怎样理解课堂教学中渐进与跳跃的关系？

# 学科教育的新视野

学科是知识结构的主体，
更新学科教育的观念，是更新学科教育的前提。

————作者自题

## 第一节　反思科学教育

素质教育在本质上是一种新的教育价值观，是一种在新价值观指导下对理想教育的追求。[①] 课堂是实施素质教育的主渠道，课堂教学中能不能体现素质教育的思想，是素质教育能不能得到真正贯彻的关键。[②] 我们所以这样强调，是有其明确针对性的。因为在实际的教育中，种种背离素质教育本质的观念和做法，诸如把素质教育理解为课外活动，"轰轰烈烈搞素质教育，扎扎实实抓应试教育""要热闹看素质教育，

---

[①] 参见本书第 4 章"素质教育——跨世纪的教育理想".

[②] 参见袁振国. 课堂的革命 [J]. 教育参考, 1998（4）；素质教育的误区 [J]. 文汇报, 1998 - 04 - 24.

要升学看应试教育"，等等，都与脱离课堂教学谈论素质教育有关。课堂内真正体现了素质教育的思想，非但不会与升学相矛盾，而且有利于学生综合竞争能力和可持续发展能力的培养。

课堂教育的主要内容是学科教育，因此课堂中能否实施素质教育很大程度上取决于能否落实到学科教育中去。学科教育包括自然科学、社会科学和人文学科的教育，这里首先讨论自然科学教育中的问题和自然科学教育的变革。

## 一、科学教育对科学的背离

这个标题写全了应是"科学学科教育对科学的背离"。科学教育是基础教育的基本内容，也是现代文明的基础。可是，什么是科学教育？长期以来我们对这个问题的认识是不全面的，甚至是避重就轻的。通常我们把科学教育理解为"系统的科学基本知识、基本技能和科学思维方法的教育"，这是一个不全面的理解，而在实际的编写教材和教学中，在考试检查中，"科学思维方法的教育"往往又成为虚拟之格，科学教育被缩减为科学知识的教育。层层窄化，使得科学教育的空间越来越小，甚至发展到与科学教育的本质背道而驰。事实上，人们早已把科学分为相互关联的四个层次的内容：科学知识、科学方法、科学态度、科学精神，科学教育无疑应该包含这相互关联的四个层次的教育。

### 科学知识

虽然我们的科学教育把主要精力放在传授科学知识上，但传授什么知识和怎样传授知识却依然值得反思。中国的教育传统是重伦理道德教育，所谓知识主要是关于伦理规范、道德经验的知识，这就决定了我们对知识的理解有这样一些基本特征：第一，知识是预设的，也就是预先早已具备的，而非个人主体发现的，与我们个人的努力无关，我们既不能增加它，更不能改变它；第二，知识被认为都是正确的，既然是知识，特别是写在教材上的知识，都是"圣人之言"，一定是正确无误的。巧合的是，解放初对我国教育产生了重大影响的苏联凯洛夫《教育学》也持同样的观点，甚至明确说明，教材具有准法律的地位，这就排除了对教材和教学内容的质疑；第三，人格化的，即知识和人的品行联系在一起，知识的可靠性与权威性与人的地位和威望相联系。这些特征决定了传统知识教育的特征：第一，被动接受的；第二，知识的学习过程主要是记忆过程；第三，知识的学习带有社会强制性。这些特征对现代科学和科学教育具有难以摆脱的影响：第一，重结果甚于重过程。忽视了所有后续的知识都是在前有知识的基础上发展起来的，对知识发展的过程重视甚少；第二，重标准答案甚于重智慧开发。我们教学的目的和评价教学成败的标准就是看学生是否能够获得唯一正确的答案。所有的习题都是有标准答案的，题目中的所有数据都是必定有用的。而事实上任何现象的答案都不会是唯一的，不同角度会有不同的答案，在解决实际问题的过程中，重要的并不是运用数据，而是确定什么数据才是有用的；第三，重教育者对知识必要性的看法甚于重社会、市场对知识的需要；第四，重稳定的知识甚于重新兴的知识。

### 科学方法

在一次教育部基础教育司召开的"基础教育课程改革专家工作组"会议上，一位中学校长的发言给我留下了深刻的印象。他教高三毕业班的化学，他所教的学生在高考中化学的平均成绩是 94 分。这些学生绝大部分都进入了大学的不同专业。一年后这些学生放假回乡后纷纷来看望原来的校长。他突发奇想，拿当年高考的化学试卷对这些学生再进行了一次测试，结果出乎人们的意料，平均成绩只有 16.3 分。所得分数主要是与化学思维方法有关的内容，换句话说具体的知识和运算方法几乎遗忘殆尽。这虽然不是说具体的知识不重要，任何科学的思维方法都是不能离开具体的知识获得的，但是，在科学教学中，是把知识本身作为目的，还是把知识作为工具和手段，以掌握科学方法为目的，这是两种完全不同的教育思想。

科学并不是简单地对自然规律的揭示，更重要的是找到了研究自然规律的方法，或者可以说一门学科能不能形成科学，主要的就在于它能不能找到研究自身对象的正确方法。如果一门学科不能形成自己的科学方法，就不可能成其为科学。我们学习一门科学，如果不能掌握一门科学的方法，就只能掌握一些零碎的知识。地理学是以抽象地构造出地球本身并不存在的经线、纬线为起点的；物理学是将物质运动的能量抽象为做功为基础的……任何一门学科走向科学的过程都是形式化、符号化、建立数学模型、实验模型的过程。不同学科构建符合自身研究对象特性的形式、符号和数学模型的方法，就是这门学科特有的思维方法和工作方法。现在的教育完全没有把这种科学方法放在特别重要的位置，使得我们的学生掌握了某一学科的许多知识，却不懂得该门学科的科学方法和其方法的价值，这种现象在大学里甚至也同样存在。我们每位教师不妨自问：自己所教学科的独特的思维方法是什么？如果我们学习了一门学科，而没有掌握这门学科的科学方法，那么，我们充其量只能说学过了这门学科，而不是掌握了这门科学。

## 科学态度

科学态度是通过对科学知识的正确理解和科学发展的整体把握而形成的科学信念与科学习惯。科学既是真实可信的又是不断发展的。所以可信，是因为科学来自于经验，是真实可见的，经过了实验的检验，具有可重复性。科学的本性是拒绝权威的，更是拒绝权力的，科学是没有意识形态的。任何超验的、臆想的、传闻的东西都不能轻易进入科学的领域。科学态度就是它的防线。但是我们在教育中非常不重视这种态度的培养，很多荒谬的无稽之谈不经设防就不胫而走，用行政权威解决科学问题，这些都与缺乏科学的态度有关。科学又是发展的，而且发展性才是科学的本质。任何科学真理都是相对的，任何科学知识都是要被新的知识取代的。牛顿的力学曾经统治世界 200 年，被奉为能够解决一切物理问题的不变真理，可是在现代物理学、在爱因斯坦的相对论面前，它就显得非常的脆弱和浅薄；三角形内角之和等于 180 度似乎是无可怀疑的事实，可是在球面几何中三角形内角之和就不等于 180 度；甚至 $1+1=2$ 这样似乎是毋庸置疑的结论也只是在特定的十进位制中才成立，而二进位制则完全是另外一种数学语言系统，正是这种语言，建立了电脑语言的基础，正日益深刻地改变着人类世界。

**科学精神**

科学精神是在对科学真理探索的过程中，在对科学本质的认识不断深化的过程中，孕育起来的推动科学进步的价值观和心理取向。现代科学哲学的研究告诉我们，科学是不断发展的，科学的本质并不是证实真理，而是不断发现以前真理的错误，不断更新真理。科学知识强调的是确定性，而科学精神强调的却是不确定性，强调科学精神就是强调怀疑的、批判的和创新的精神，就是要善于在没有问题的地方产生问题，在没有现成答案的地方寻找答案。现代科学发展的另一个重要特征是科学合作的重要性越来越突出。以往重大的科学发明可以是一个人或少数科学家团体的成果，而现在一项重大的科学发明往往需要成百上千的科学家的参与，甚至是跨国的合作。合作意识已经成为科学精神中的重要组成部分。此外，科学精神中还有一种超功利的精神、为科学而科学的精神，不为任何非科学的压力所屈服。这对于保证科学的纯洁性，保证科学之为科学，也是十分重要的。

在我国科学发展和科学教育的历史上，由于现代科学是在救亡图存的特殊背景下传入中国的，所以对现成科学知识的获得，对科学实际功用的重视，远远超出了对科学方法、科学态度、科学精神的重视，而且在很多情况下采取了违背科学理念和科学精神的态度。这也是我们今天在科学教育中仍然对科学方法、科学态度、科学精神缺乏应有意识、缺乏重视的原因。[①]

## 二、科学对科学教育的呼唤

这个标题写全了应是"科学对科学学科教育的呼唤"，也就是我们要以科学的方法和科学态度进行科学教育，以使我们的科学教育承担起培养学生完整的科学素养的任务。

按照传统的科学观和科学教育观，科学主要是一些既成的事实、规则、定理，教育的任务就是使学生掌握这些知识，形成运用这些知识解析题目的能力。在西方教育史上，赫尔巴特是将这种思想理论化的重要代表。赫尔巴特认为，人类的观念、经验增长的过程，是一个积累的过程，人类经验中一切新的东西都是根据过去的经验而得到补充和了解的，观念和经验在人的头脑中形成了"统觉团"，统觉作用就是利用已有的观念吸收新的观念。所以他认为，一个好的教学过程应该分为四个步骤：

明了——给学生明确地讲授新知识；

联想——新知识要与旧知识联系起来；

系统——作概括和结论；

方法——把所学知识用于实际（作业）。

赫尔巴特的这种教学思想传入中国，与中国传统的教育观念基本相通，后经苏联教育学家凯洛夫的强化，对中国产生了持久的影响，以至于我们的教育没有能够根据科学观的发展和对科学本质认识的深化而发生深刻的变化。

而按照现代科学观和科学教育观，作为结果的知识是不断发展更新

---

① 参见本章第三节"理解文科教育".

的，发现真理、探求结果的方法才是更重要的。知识本身并不是教育的目的，而是建立科学方法的工具和手段。因此，现代教育观更关心的是怎样使传授知识的过程成为掌握科学研究方法、开发学生智慧的过程。美国教育学家杜威把这看做是现代教育与传统教育的根本分歧之一。杜威认为，赫尔巴特的教学思想是和人的实际思维过程相悖的，它不能使人的智慧得到发展，而只能使人的头脑成为仓库。杜威分析了人们思维的过程，认为不外乎这样五个步骤：感觉到问题；思考问题的性质和特征；设想解决问题的可能途径和方法；通过推理确定哪一个假设能解决问题；通过观察或试验，证实结论是否可信。接着他认为，教学的方法与思维的方法应该是一致的，为此，他提出了相应的五个教学步骤：

设计问题情境；

产生一个真实的问题；

占有资料，从事必要的观察；

有条不紊地展开所想出的解决问题的方法；

检验或验证解决问题的方法是否有效。

这里关键的一步是产生一个真实的问题。所谓真实的问题，就是学生自己产生的问题，而不是教材规定的问题，不是教师主观的问题，更不是为了提问题而提出的问题。杜威早就意识到，任何知识的学习，既是为某一理论提供依据，又是形成新理论的素材。美国学者福克斯指出："在了解杜威对'知识是什么'的回答时，我们记住的重要的事情是，除了过程，这个问题是没有意义的。杜威认为，除了探究，知识没有别的意义。……当指出那种未确定的情境中的各种要素，使它们成为一个确定的情境，最后成为一个统一的整体时，经历这个过程的探究者就获得了知识……知识绝不是固定的、永恒不变的，它是作为另一个探究过程的一部分，既作为这个过程的结果，同时又是作为另一个探究过程的起点，它始终有待再考察、再检验、再证实，如同人们始终会遇到新的、不明确的、困难的情境一样。"①

杜威的这一思想，开启了现代科学哲学和现代教育思想的大门，对我们变革科学学科的教育有深刻的意义。通过对这一思想的回顾，我们就完全可以理解为什么对同一堂课，会有两种完全不同的评价。中国衡量教育成功的标准是，将有问题的学生教育得没问题，"全都懂了"，所以中国的学生年龄越大，年级越高，问题越少；而美国衡量教育成功的标准是将没有问题的学生教育得有问题，如果学生提出的问题教师都回答不了了，那算是非常成功的。所以美国的学生年级越高，越富有创意，越会突发奇想。这就是以问题为纽带的教育。以问题为纽带进行教育，就是以激发学生产生问题始，以产生新的问题终，在这样的过程中，培养学生的问题意识，帮助学生掌握解决问题的知识、程序、方法，培养学生的怀疑精神和创新精神。由于学生的背景不同，认知风格不同，所产生的问题自然会有差异，解决问题的程序、假设和结果也会不同。这样，科学教育的过程就不再是追求标准答案的过程，而是发展学生富有个性的综合科学素养的过程。

现在我们正逐渐走向知识经济时代。即以知识的创新和知识迅速转化为技术引导经济主流的时代，知识总量迅速膨胀，知识陈旧周期日益加快，社会观念、生活情境日益多元化，现代信息媒体的运用也越来越普及。教师和学生经常面对着同样不知道答案的问题，面对着谁都不知如何处置的情境。因此，我们的教育能不能使学生有效地产生问题、进入问题形成解决问题的意识、习惯和能力，能不能创造性地应答没有遇到过的挑战，这才是科学教育的基本要求和改革目标。科学呼唤以科学的态度和科学的方法进行科学教育。

---

① 瞿葆奎. 教育学文集·教学：上卷 [M]. 北京：人民教育出版社，1988：438-439.

# 第二节　开放数学教育

自然科学是对自然现象本身客观规律的揭示，从这个意义上说，科学的本质是发现；而数学是人们为了建立自然和社会现象的主观联系，从这个意义上说，数学的本质是发明，是主观建构。数学中最基本的有理数、无理数是人自己设定的，几何学上最基本的点、线、面实际上是不存在的，它完全是一种抽象的概念，只不过为了帮助人们理解这种概念才做出有形的点、线、面来；就是最基本的 $1+1=2$ 也是人们设定的运算法则之一，这一法则只有在十进制的系统中才有意义，在二进制、八进制系统中就毫无意义了。有时候，数学是通过"无"与"无"的运算，算出"有"来。夸张一点说，数学有时就是"无中生有"。而这种无中生有是非常重要的，甚至是数学的本质。苏联著名教育家赞可夫有一次举行小学数学教学的公开课，教学的任务是引导学生学习从连加向乘法的过渡。他出了一道题目：$7+7+7+7+7+7+3=$？赞可夫的意图是引导学生得出 $7\times6+3$ 的方法。但出乎意料的是一开始一个学生就说，"我可以用 $7\times7-4$ 的方法来计算。"在《教学与发展》这本书中，赞可夫回忆到：当我听到这一方法的时候，我非常激动，这个孩子非常了不起，她看到了一个不存在的 7，她发现了数学的本质。既然孩子们已经具备了认识数学本质的能力，我们为什么还要按部就班地进行教学呢？如果我们忽视学生的发展水平，忽视学生发展的潜力，就等于是犯罪。于是他推翻了自己准备的教案，就从这个不存在的 7 讲起。这里既表现了赞可夫的教学机智，更表现了他对数学和数学教学本质的认识。当然，我们这里不是严格讨论数学的问题，而是想要说明一个道理，人是数学的主人，数学教育的目的是使学生学会运用数学为我所用。

数学是一种工具，是一种将自然、社会运动现象法则化、简约化的工具。数学学习的最重要的成果就是学会建立数学模型，用以解决实际问题。数学本身是人为的，是开放的，是丰富多样的，一句话，数学是为人所用的。数学又是训练人的思维的工具，通过学习数学，使人的思维更具有逻辑性和抽象概括性，更精练简洁，更能够创造性地解决问题。数学教育的任务当然也就是教人掌握这一工具和利用这一工具。然而不幸的是，由于教育竞争的压力，由于"应试教育"的扭曲，在我们的数学教育中，数学成了封闭的系统，成了固定的逻辑联系。不是数学成为人的工具，而是数学教育使人成了数学的工具，成了解题的工具，特别是成了寻求唯一答案的工具。

举一个例子。一位数学教育家做过一个实验，他给小学生出了这样一个题目：河的一边，有一群牛和羊，其中牛 38 头，羊 42 只，一位船工要用船将这群牛和羊运到河的对岸。问学生们的问题是：船工的年龄有多大？使人感到惊讶的是，绝大部分学生都有答案，而且大部分学生的答案都是相同的：船工 40 岁。特别是刚刚学过平均数的学生 100%的回答说船工是 40 岁。问他们何以能得出这一结论，其回答又是惊人地相似：你让我们做题目，那题目必定是有答案的，题目中的数据也一定是不会多也不会少的，虽然解题的过程中也感到迷惑，但想来想去，只能是这一答案了。

搞教育的人都知道，成绩再差的学生如果解题时题目中有一个数据没有用上，那他也知道题目一定做错了。因为我们的题目中从来没有多余的数据或条件。可是实际生活中，解决问题最重要的往往并不是怎样将数据带进公式，而是要确定哪些数据、哪些因素对事情有影响。我们的学生之所以普遍存在高分低能的情况，就是因为我们的教育注重的是教会学生怎样将数据带进公式，而不是怎样确定解决问题的思路和方法，就数学教育而言，就是怎样建立数学模型。面对不同的数据或条件，不同的需要、不同的构思完全可能建立起不同的数学模型来。

再举一个例子。香港的中学数学教材中有这样一个题目：某一企业，有股东 5 人，工人 100 人，1990—1992 年的 3 年间，该企业的收益情况如下表，要求根据下列数据绘制成一幅图。

|  | 股东红利（万元） | 工资总额（万元） |
|---|---|---|
| 1990 年 | 5 | 10 |
| 1991 年 | 7.5 | 12.5 |
| 1992 年 | 10 | 15 |

面对这样一组数据，不同的思维方法可以构建出不同的数学模型，描绘出不同的图表来：

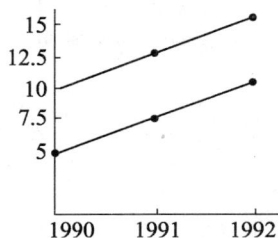 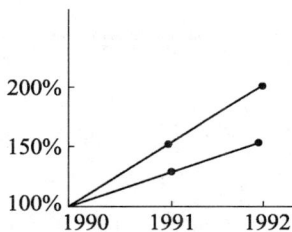 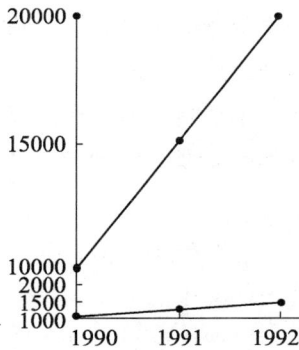

图 1        图 2        图 3

图 1 是两条平行线，传递出的信息是劳资双方共同发展，有福同享、有难同当，这样的图是老板最愿意看到的，我们姑且称它为"老板图"。图 2 是拿全体股东分红增长的比例和全体工人工资增长的比例做比较，以 1990 年为 100，股东分红增长了 100％，工人工资只增长了 50％，传递出来的信息是工人工资的增长比例是股东分红比例的一半，应该适当增加工人的工资，我们把它称为"工会图"。而图 3 是拿股东个人收入的增长和工人个人收入的增长做比较，传递出来的信息则是：股东和工人的收入悬殊，而且差距越来越大，这可称为"工人图"。华东师范大学的张奠宙教授拿这一题目请一位教师到一所中学做实验，让学生们根据数据绘出图来。结果 100％ 的学生绘制出的图都如图 1。在

我们的学生看来，图 1 是最规范的思路，最标准的答案，他们根本没有想过这一题目多种答案的可能性，没有想过一组数据中透露出来的生活中的实际信息，更没有想过把数学作为工具用来解释世界，而是只想到把这一题目解出来就是了。

这又使我想起上海市某区有一年初中升高中的数学题中，有一道题是问学生怎样将一张被告知长和宽的硬板纸做成一只体积最大的纸盒，结果 70% 的人答不出来。其实这道题所需要的数学知识小学数学就够用了。如果题目不是这样出，而是要求出具体的面积、体积，恐怕就是 70% 的人答得出来了。长期的标准程序、标准答案的教育，把学生训练成了解题的工具，实际是训练成了封闭思维方法的工具。其实，数学本身是开放的，应对社会生活需要有开放的数学教育。数学的开放性、多样性不仅是生活需要的反映，也是人的认知结构、认知能力的反映，不仅生活需要开放的数学教育，学生认知潜力的发展也需要开放的数学教育。

当校阅本书清样的时候，我看到了北京大学附中张思明老师在数学教学实践中的一个例子，生动有力地表现了如何还数学教育的本来面貌，以建模的思想和方法进行数学教学的思想。

他以"教育储蓄"为题材，帮助学生用数学建模的方法解决实际生活中的问题，并反过来促进数学建模的意识和能力。他把这一教学过程分为 4 个基本步骤。

1. 请学生个人或组成小组，利用课余时间调查有关"教育储蓄"的资料，事先可以让学生讨论需要了解的信息是什么。主要途径是网上主题词检索、各大银行直接询问。

以往的应用题常常是"没有源头"的，所需解决问题的信息都是已知的，不多不少，没有信息寻求、选择、加工的过程。而解决实际问题的第一步应该是从寻求有关信息开始。

2. 让学生交流，互相启发补充扩展他们取得的信息。重点确定以下信息：教育储蓄的适用对象（在校中小学生）、储蓄类型的特点（零存整取的形式，但享受整存整取的利息，不扣利息税）、最低起存金额（人民币 50 元）、每户存款本金的最高限额（人民币 2 万元）、支取方式（3 年或 6 年，到期凭学校开出的在学证明一次支取本息）、银行现行的各类存款利率、零存整取和整存整取的本息计算方法。

3. 请学生提出拟解决的问题，根据问题，在教师带领下寻找适用的数学工具，建立相应的数学模型。例如：

（1）依教育储蓄的方式，每月存 50 元，连续存 3 年，到期时（3 年或 6 年）一次可支取本息多少元？（等差数列求和，公式应用模型）

（2）依教育储蓄的方式，每月存 a 元，连续存 3 年，到期时（3 年或 6 年）一次可支取本息多少元？（公式模型的一般化）

（3）依教育储蓄的方式，每月存 50 元，连续存 3 年，到期时（3 年或 6 年）一次可支取本息比同档次的"零存整取"多收益多少元？（比较方知差别）

（4）欲在 3 年后一次支取教育储蓄本息合计 2 万元，每月应存多少元？

（5）欲在 3 年后一次支取教育储蓄本息合计 a 万元，每月应存多少元？（特殊到一般）

（6）依教育储蓄的方式，原打算每月存 100 元，连续存 6 年，可是到 4 年时，学生需要提前支取全部本息，一次可支取本息共多少元？

（7）依教育储蓄的方式，原打算每月存 a 元，连续存 6 年，可是到 b 年时，学生需要提前支取全部本息，一次可支取本息共多少元？（分段函数的模型，一般化）

（8）（开放题）不用教育储蓄的方式，而用其他的储蓄形式，以每月可存 100 元，6 年后使用为例，探讨以现行的利率标准可能的最大收益，将得到的结果与教育储蓄比较。（可以涉及等比数列、递推关系、单调性应用、不等式比较等许多知识）

（9）（开放题）学生自己设计的其他计算题。

（10）（开放题）将问题解决过程中数学模型（等差数列或复利增

长模型）进一步抽象出来，看看它还有怎样的应用？

……

4. 学生交流计算的结果及他们发现和提出新问题。可以让学生报告小组讨论的结果并分工写成解题报告或小论文。

张老师还特别强调，数学建模教学的关键是找到"好的问题"：第一，应选择与学生的生活实际有关的问题；第二，应努力表现数学建模的全过程，而不仅是问题本身的解决；第三，选择的问题最好有比较宽泛的数学背景，有不同的层次，以便于不同层次的学生参与，注意问题的可扩展性和开放性；第四，应鼓励学生在问题分析解决的过程中使用计算工具和成品工具软件。①

这一事例生动地告诉我们，不同的教育观念、不同的思想方法会有不同的教学思路和教学方法，学生会有不同的发展结果。教学的开放首先需要思想的开放。为了培养学生更好地应对社会生活的能力，为了更有效地培养学生的创造性，我们需要更开放的数学教育。

# 第三节　理解文科教育

近年来，文科教育特别是语文教育受到了普遍的关注，且受到不同程度的非议。这种关注和非议反映了文科教育改革的迫切性，但把文科教育中存在的问题归罪于任课教师，是有欠公允的。事实上，文科教育的改革，需要对文科和文科教育重新认识，而不是仅仅靠改变教材或改变教学方法所能解决得了的。

## 一、文科与文科教育

我们这里说的文科，指的是人文学科。人文称学科而不称科学自有

---

① 本刊记者. 数学建模的教育价值——访特级教师张思明［J］. 教育研究，2001（7）.

它的道理。人文学科包括哲学、文学、艺术、神学等研究领域。可是从我们现在的图书目录分类来看，文科没有独立的地位，图书被分为自然科学和社会科学两大类。而国外的图书分类通常是分为三类，即自然科学、社会科学和人文学科。这种分类的不同，绝不仅是分类方法的不同，而是思维方法的不同，是对文科意义认识的不同。

按照我们国内的分类方法和思想方法，文科被消融在科学之中，文科教育的目的也就被涵盖在科学教育的目的之中，解决科学问题的方法自然也就被认为适合于解决文科问题，甚至以为只有用解决科学问题的方法，来思考和解决文科问题才是正确的，才有发展前途。标准化测试就是一个典型的例子。有一种意见强烈地认为，包括哲学、语文、道德品质等等在内，只有实现了标准化的测试才是科学可靠的。

可是，科学的方法真的能解决人文学科的问题吗？标准化测试适用于所有学科的所有内容吗？说起来，这并不是一个新问题。早在20世纪20年代一场影响深远的"科玄论战"就对这个问题进行过深刻辩论。以丁文江等人为代表的科学派强烈认为只有科学能够救中国，发展科学是中国的当务之急，科学问题解决了，其他问题便迎刃而解。以张君劢、梁漱溟等人为代表的"保守派"则坚持认为科学只是手段，只能解决技术问题，不能解决玄学问题，即不能解决人生的幸福问题，不能解决人生意义的哲学问题。由于当时中国饱受了落后挨打的痛苦，帝国主义的坚船利炮使得我们国门难守，急欲奋发图强，所以玄学派被打得落花流水，科学派取得了全面胜利。科学救国成了人们的普遍信仰。

科学主义的胜利不仅使得科学的地位日益高涨，确实推进了中国科学技术的进步，而且使人们建立了这样的信念：科学的东西都是正确的，都是好的。这样，就在不知不觉之中，真伪（科学）的问题和好坏（价值）的问题混为一谈了。更为严重的是，在我们无条件接受了"只要是科学的就是好的"这一观念的时候，又不知不觉地接受了第二个观念：不是科学的一定是不好的，只要是好的一定是科学的，走向了"科学意识形态主义"。于是，什么都往科学上靠，作为人们表达对人生、对社会主观理想的哲学也成了科学，作为人学、人性之学的文学也成了科学，要么是科学，要么是伪科学，甚至神学也能清楚地分为科学的神学和伪科学的神学，而且，不言自明的是，只有科学的神学才是有价值的，伪科学的神学是没有价值的。考虑问题，判断问题，只剩了一种标准，即科学标准，人文学科的价值被瓦解了，人文学科的独立性和人文学科教育的特殊性被忽视了。

## 二、文科教育的价值

人文学科与科学有着不同的性质，发挥着不同的功能。科学在于揭示自然和社会运动的客观规律，文科则在于探求人生生活的意义；科学追求的是精确性和简约性，文科追求的则是生动性和丰富性；科学的标准是规范的和统一的，文科的标准是多变的和多样的；科学强调客观事实，文科强调主观感受。科学与人文学科的不同价值和性质决定了科学与人文学科教育的价值不同。科学教育的工具性价值超过目的性价值，文科教育的目的性价值超过工具性价值。这就是说，科学教育也有为了学习而学习的因素，但更主要的是为了传授知识，为了提供一种工具，是启智的过程。文科教育虽然也要传授知识，也为人们提供一种生活的工具，但它更是目的本身，是情感、人格的陶冶过程。与科学教育相比，文科教育的特别价值研究得很不够。

**文科教育的过程是精神享受的过程，是提高生命质量的过程。**

有生命的存在并不等于有生命的质量。人的生命是短暂的，生命的质量首先在于人的精神生活的丰富性，在于生活感受的愉悦。一个人的精神生活很单调，内心很苦闷，生活质量无从谈起。文科的学习为学习者精神的丰富和愉悦提供了极好的条件，使学习的过程成为欣赏的过程：哲学在于欣赏哲人的思想智慧，欣赏观察和分析世界的多种视角；文学在于欣赏人性的展开，欣赏语言表达的精美。艺术语言的丰富多样性，诉诸人的感官形式的多样性更不待言。事实上，对于精神丰富性的追求是人的基本追求，五音不全的人也会哼，色彩不辨的人也爱涂，大字不识的人也有诗。所以在我看来，文科课程首先是欣赏课程，在欣赏中有所感受，在欣赏中获得陶冶，在欣赏中美化情怀。

可是文科教学中的实际情况却不那么令人乐观，文采飞动的语文课变成了生词抄写课；真情实感流淌的作文课，变成了八股格式的模仿课；灵智生辉的哲学课，变成了1、2、3的背诵课；甚至连音乐、绘画课也成了乐谱的记忆课和横平竖直的训练课。工具价值压倒了目的价值，学生可能掌握了"基本知识和基本技能"，可是却失掉了兴趣、激情和灵性。享受的过程变成了被动接受的过程。得到的东西我们看到了，失去的东西我们并未发觉。得到的东西也许只是大海里露出水面的冰山一角，失去的却是海水下面冰山的主体。

**文科教育的过程是体验和提升生命价值的过程。**

现实生活中我们经常可以见到这样的情景：鲜艳的花朵遭到随意的蹂躏，可爱的小猫、小狗遭到不经意的虐杀；无力反抗的孩子遭到成人心理上的摧残或肉体上的欺辱；呻吟的病人受到粗暴的治疗；低收入者受到无端的鄙视，残疾人受到莫名的嘲弄……人的生命意识，人的生命价值观在哪里呢？上述行为的发出者都不一定不识字，哲学考试也不一定不及格，道德评分也许还很高。换句话说，他们都是接受过文科教育的。但文科中的文学、哲学、道德表达对生命价值的肯定，对生命价值的尊重，却没有成为教学的重点，我们努力去抓住的是表达这些内容的形式。

对生命的尊重、对生命价值的尊重，最基本的就在于尊重生命的存在，不无端地剥夺生命，即使是非常低级的生命。当一个人对低级的生物和动物毫无怜爱之情时，你能指望他尊重高级的生命吗？反之，当一个人充满了对小草、小猫的生命关怀时，他对于高级的生命、对于人的生命能不尊重吗？

生命的独特性、不可重复性以生命的存在为基础，但仅有生命存在是不够的，生命存在只是生命价值展现的最低条件，人的生命价值更体现在人的感受、情怀、思想和创造力的独特性、不可替代性上。李白的蜀道是那样绮丽（《蜀道难》），光未然的黄河是那样动人心魄（《黄河颂》），老舍的猫是那样令人怜爱（《猫》），朱自清的父子深情是那样动人（《背影》），冰心的小橘灯是那样辉煌……同样是"桨声灯影里的秦淮河"，俞平伯的感受是那样细腻，朱自清的感受是那样华美①；同样是《临街的窗》，王蒙、陆文夫、冯骥才看到的和感受到的各不相同②……这并不仅是对自然、对人情的不同感受，这是对生命的不同感受。人的生命的价值得到实现，就是人的这种独特的生命感受、生命力量得到尊重的表现。使学生在学习的过程中，感受到这种生命的跳动，感受到这种生命价值的升华，这才是文科教育的真正任务。这是文科教育的基本使命，也是文科教育的基本功能。但是，这种感受，这种追求，绝不是标准化测试所能反映的。标准化测试充其量反映的只是表达这些内容的形式。这就是为什么文科教育不能靠被分解的知识点来完成的原因。再精彩的篇章被逐步分解为生词、段落、大意、中心时，"魂"也没有了。本来这些字词句章是用来为"魂"服务的，现在字词句章本身成了目的。感受、领悟、欣赏的过程被单调的操练加上难以避免的批评训斥代替了。感受和提升生命价值的过程，倒反而形成了对生命的压抑。

**文科教育的过程是感悟自由精神的过程。**

人类之所以能够不断发展，人类的文明之所以能够不断提高，最根本的就在于人类能够不断超越自身，不断超越自己体能的、智慧的、精

---

① 1923年的一个晚上，俞平伯、朱自清等人共舟同游南京秦淮河，约定以"桨声灯影里的秦淮河"为题作文，尽管两篇文章风格迥异，但皆成散文上乘之作，传为现代文学史上的佳话.

② 1984年《人民文学》以《临街的窗》为题，公开征集作品，不同心路、不同题材的佳作纷至沓来，成为当代文学史上的佳话.

神的极限。这种超越的精神就是获得更大自由的精神，这种追求超越极限的过程就是自由精神的追求过程。文科教育的一个内在功能就是展示这种精神，弘扬这种精神。学生在接受文科教育的过程中，感悟这种自由的精神本是顺理成章的事。"女娲补天""精卫填海""西西弗斯永不停顿地推石上山"表达的都是知其不可为而为之的不屈意志；唐僧冲破千难万险西天取经、浮士德奋斗不息追寻新目标，昭示的都是精神能量的无限可能性；凤凰涅槃、普罗米修斯为人间偷盗火种，歌颂的都是生命不死、价值延伸的情怀。老人与海的搏斗（海明威）、鲁滨孙在荒岛上的漂流（笛福）表现出人对自然的无穷伟力，"嫦娥奔月""地心旅行两万里"表现出人的想象力的奇异无边……哲学家对世界的不同理解、阐释和追求，则表现了人类智慧的自由驰骋：孔子的"仁爱"追求，庄子的"自然"法则，柏拉图的理念构想，在这种哲学观指导下形成了意趣迥异的教育观：孔子因人而异的"礼教"观，庄子"顺情达性"的"无方之传"观，柏拉图智慧启迪的形式教育观……这些都是知识，但如果这些变成了被切碎的知识，而丢弃了它们的灵魂，丢弃了人类的自由精神，那么，文科也就被科学的手术刀肢解了。文科教育固然有知识点，但更应是整体的、历久以来一以贯之的自由精神的感悟。

人类不断超越自我的自由精神也是科学发展的内在动力，与人的创造性发挥是相辅相成的，甚至可以说没有自由的人文精神便没有科学的不断进步。

## 三、以人文精神进行文科教育

**文科教育是分解的教育，更是整体的教育。**

学校教育的课程是有限的，教材内容更是有限的。教材只是体现一种教育思想的工具，只是教授某种教学内容的例子。所以不能把教材看成是对教学内容的规定，更不能把教材看成是对教学内容的限定。它是学习的向导，是开阔视野的镜子。使用教材的目的是见木知林，所以我们用不着把一本教材嚼烂了，更不能把一篇篇的课文分解了，而是要以教材为核心，感悟人文精神。鲁迅的杂文最根本的特点可以用一个字概括：对魑魅魍魉的"憎"；巴金的作品最大的特点也可以用一个字概括：对生活的"真"。这里的"憎"与"真"，又都归结为对生命的爱，对生命价值的追求。这不是靠哪一段文字、哪几篇文章就能反映的，这是他们全部生命的展现，是他们一生人格的乐章。如果我们没有这种整体观，文科教育就有流入八股教学的危险。

整体的教育观首先是感悟，要使学生感悟到作者的感受，感悟到作者的情感，感悟到整个作品的风格和情调；其次是理解，理解作者观察问题、描述现象的角度，理解作者看问题、分析现象的视角和方法；第三是表达，能够以课文为例子，表达自己独特的生命感受和观点；最后，也是最终的目的，是获得精神的自由，个性化地感悟事物、体察社会和人情，创造性地表达人生。

**文科教育是标准的、统一的教育，更是多样的、个性化的教育。**

"进"的反义词是什么？（标准答案是"退"，写"出"就错了）

用一个成语概括下面这句话："很多人为了一个共同的目标而奋斗"。（标准答案是"齐心协力"，写"同心协力"就错了）

"给课文分段，并写出段落大意"，是语文课的常见要求，当然都有标准答案——在教师参考书上。写文章的人考虑过怎样给文章分段吗？把唐宋八大家的散文、鲁迅的杂文都划分出符合标准答案的段落来，并且能够背诵这些段落大意，就能写出好文章吗？

"归纳课文的中心思想"，也是语文课的基本要求。文章有中心思想吗？我的意思是，真正有思想感情的文章有大家公认的中心思想吗？什么叫"形象大于思想"？一部《红楼梦》，说尽风流，"单就命意，就因读者的眼光而有种种；经学家看见"易"，道学家看见淫，才子看见缠绵，革命家看见排满，谎言家看见宫闱秘事……"（鲁迅）。毛泽东看见的是封建阶级的没落画卷。"一千个读者就有一千个哈姆雷特"，文学的多义性、丰富性是文学的生命。这是人的丰富多样性决定的，这正是创造的动力和创造的空间。

哲学也同样如此。有一千个读者就有一千个孔子。自古以来，出现过多少个孔子思想的阐释者？最重要的就有好几个：孟子、董仲舒、朱熹、王阳明、黄宗羲、康有为。正是这些孔子思想的不同阐释者，丰富和发展了儒家文化和中国思想史。哪种哲学见解没有相反的观点？如果我们忽视人类思想自身的多样性，一定要给出一个标准答案，那么，我们的学生得到的可能是一些知识，失去的却是批判性和创造性。文科本身的多样性、个性化特点要求文科教育承认多样性、认同个性化。

**文科教育是技能的教授，更是生命的对话。**

字词句章、谋篇布局是文科教育不争的要求。但中国自古以来就强调不得以词害义。再好的文章也经不起串讲。不管多么激动人心的内容变成一遍遍领读、齐读、轮流读，变成不分轻重缓急、没有情感色彩、千篇一律的串讲的时候，也会索然无味的。

文科是主观感受的表达，是内心情感的流露，是个人见解和智慧的展现。文科教育的真正价值在于获取这种感受，体验这种情感，理解这种见解，转化这种智慧，最终形成自己的丰富的精神世界。所以文科是知识、技能的教授，更是情感的交流，心灵的沟通，生命的对话。这并不是什么新境界，早在两千多年前，庄子已经描绘了这样一幅图景：

"大人之教，若形之于影，声之于响。有问而应之，尽其所怀，为天下配。"

教育者与受教育者之间的关系如形和影的自然亲和，似声和响的关系相得益彰，言语对话的形式传递的是心灵交流的内容。这是文科教育与科学教育最本质的区别。这对教师的要求是相当高的，也可以说这是"教书匠"与教育家的根本区别之所在。要学生有感受，首先教师要有感受，要学生能体验，教师首先要能体验，要学生动情，教师首先要动情。当教师把文科的教学变成了欣赏的过程，变成了体验生命价值的活动，变成了展现自由精神舞台的时候，这才是文科教育。在这样的教育氛围中，学生获得了愉悦，获得了对人生价值的感悟，获得了精神的自由，获得了人文精神，教师也获得了满足和幸福。

这样的文科教育一定会兴趣盎然的。

# 第四节　提升美育

中国历史上基本上没有美育的概念，虽然可以找到不少关于美育的言论和故事，但从总体上说，美育是被包容在德育之中的。只是到了近代，才有王国维先生关于美育的学理研究，有蔡元培先生石破天惊的"以美育代宗教"说。但是这些都只是昙花一现，美育始终是德育的跟班，"寓教于乐"才是一以贯之的主导思想。

## 一、美育不是德育

德育真的能包容美育吗？善能包容美吗？德育是关于道德理性和道德能力的教育，美育是关于审美感受和审美能力的教育。毫无疑问，美与善、美育与德育之间有着密不可分的联系。但是，美与善、美育与德育之间有着本质的区别，并且可能具有内在的冲突。换句话说，美与善之间可能会面临二者只能择其一的矛盾。比如现在学校里普遍流行的校服，善则善矣，经济、整洁，可能还有益于集体意识的培养，但美则不敢苟同。任何统一化、标准化、固着化对美来说，都是灾难。再比如说，当学生们陶醉于流行歌曲、忘情地载歌载舞时，老师大声要他们

"不要太疯狂",那一定会很倒胃口。从本质上说,美与善、美育与德育是不同的。

道德是社会的意志,具有强烈的客观性、确定性,好还是不好,善还是不善,不以个人的意志为转移。相对于善来说,美具有强烈的主观性和不确定性;道德是理性的,所有道德条文都可以解释得清清楚楚。而美感,尤其是深刻的美感,是非理性的,很难解说得很清楚,能解说得很清楚的,绝不是至美。所以德育重在说理和模仿,美育重在感受和领悟。

道德在本质上是一元的,德育的内容和要求是明确而标准化的。社会道德不会允许有几种不同的解释和标准,不会允许有不同的应对方式。德育的功能在很大程度上就是使人认识到社会道德的合理性和实践道德规范的自觉性。而美在本质上是多元的,美的生命力来之于审美对象的与众不同,来之于审美活动的个性化。美育则是要告诉人们美是非标准化的,越是与众不同,越是奇思异想,越是富有创造性的现象、思想、作品,越是灿烂的美。

道德的社会性意志决定了德育的规则性,特别是道德具有明确的强制性,这就决定了德育不可能不或多或少地具有强制性,惩罚自古以来就是德育的一种方法,东西方皆然。而美育在本质上是反规则的(规则的美只是不规则的一种特例),是要打开人们观念中的所有限制和锁闭,返归自然、放松的状态。与强制性相反,美育鼓励人们自由放纵,驰骋想象,随心所欲,"为所欲为"。

德育具有明显的功利目的,它总是和一定的政治思想、价值观念、统治需要紧密联系,正如马克思所说,一切处于统治地位的道德,都是统治阶级的道德。学校德育有着明确的政治目的和工作任务,作为教师来说,维护和宣传一定时期统治阶级的道德是他的使命,他没有权力散布与社会主流道德背道而驰的观点。而美常常是超功利性的,若带有强烈的功利目的,很多美便不能感受,更难创造。美更具有穿越时空、超越外在目的的力量。美育的一个重要任务就是使人们认识到美的这种特性，能够不带任何功利目的地感受美、欣赏美、创造美。美育的过程意义远远超过美育的目的意义，在某种意义上说，美育的目的就是美育本身。"美育不仅能陶冶情操、提高素养，而且有助于开发智力，对于促进学生全面发展具有不可替代的作用。"① 所以，如何在美育与德育之间保持良好的张力，倒是学校教育工作应有的使命和高超的艺术。

## 二、美育的本质在于培育美的精神

在相当多的人的观念中，美育就是艺术教育。有一年，我在教育学研究生入学试题中出了一道正误判断题"美育等于艺术教育"，结果有一半的考生认为这一命题正确。更令人遗憾的是，一提到美育，很多人想到的只是美术课、音乐课，把美育窄化为美术、音乐教育。接着，又把美术、音乐教育变成了乐谱的记忆课和横平竖直的训练课，美育进一步被降格为工艺训练。

美育不是德育，美育也不等于艺术教育。艺术教育只是美育的一个方面，一种手段；美育并不以培养艺术家为主要目的，如同体育不以培养国家级运动员为主要宗旨一样。从美育的角度看，文学教育也好、艺术教育也好，注重的都不是掌握其技术的精湛程度，而是在于通过它们，获得一种美的感受，体验一种美的情怀，进入一种美的境界。总之，在于孕育一种美的精神。只要有利于这种精神的培育，人与自然的交往，人与人的交往，人与艺术的交往，都是审美的对象，都是美育的素材。

先说感受。鲁迅先生的散文《秋夜》是这样开头的："我家的院子里长着两棵树，一棵是枣树，还有一棵也是枣树。"从文学的角度看，这大概可以说是败笔——重复、啰唆，但从美学的角度看，它非常生动地表达了鲁迅童年的独特感受：一种孤独、寂寞但又不肯放弃希望的感

---

① 中共中央国务院关于深化教育改革，全面推进素质教育的决定，1999.

受。如果把这句话写成"我家的院子里长着两棵枣树",那就只有景而没有感受,就索然无味了。自然现象是客观存在的,自然本身无所谓美不美,自然是因人而美,是因人的感受而美;而对人来说,面对自然可能无动于衷,而"感受自然"才有美。历史上有无数脍炙人口的诗篇,有无数精妙绝伦的散文,有无数动人心魄的绘画,都是描写自然的,但这些作品没有一件不是在描写作者自己的感受。不同的心情面对同样的自然现象可以表现出完全不同的感受:比如同样是面对霜后红叶的景色,有杜牧"停车坐爱枫林晚,霜叶红于二月花"的兴高采烈,也有《西厢记》里"晓来谁染霜林醉,总是离人泪"的悲伤愁苦;相同的感受也完全可以借助不同的自然对象表达:"举杯邀明月,对影成三人",这是李白的名句。这里李白的人、月、影"三人"与鲁迅的"两棵枣树"完全是异曲同工之妙,完全不相干的景致却表达了同样的感受。所有对自然的感受,都是对生命的感受,是对生命存在价值和生命存在方式的感受。不进入审美的境界,便无法获得如此深刻的感受,更不可能创造性地表达这种感受。如何调动各种手段帮助学生获得这种感受,是美育的基础。

至于情怀,是以感受为基础的,但又是对感受的提升。"枯藤、老树、昏鸦,古道、西风、瘦马,断肠人,在天涯。"这本来是一幅穷困潦倒、愁苦不堪的画面,可是一旦把它作为客观的形象、作为审视的对象表现出来,拉开了现实环境与主观感受的距离,就成了审美的对象,历来被认为其"意境深远"。所谓意境深远不是别的,就是一种情怀,往低处说,是自嘲、诙谐的情怀,往高处说,则是乐观、豁达的情怀,并没有悲伤之气。这种情怀连接着人生的态度,表达了一种对复杂人生的感悟,一种进取与退缩、屈服与抗争的矛盾。这种场景人生是常见的,这种情怀却不是多见的。《黄河大合唱》则是另一番气象:悲壮慷慨、激越昂扬,摧枯拉朽、势不可挡,不屈不挠、自强不息。我们站在黄河边上,可能会感受到黄河的磅礴,浑浊,或者感受到它的川流不息,但不会自然上升到《黄河大合唱》的那种情怀;在聆听、欣赏

《黄河大合唱》的时候，使聆听者升腾、体验到这种情怀，才是美育。体验这种情怀，除了美育，别无他途。

境界与感受与体验是无法分离的，但出于强调的目的，特别分离出来予以分析。审美的最高境界往往是超功利的境界。金器、宝石陈列在展览馆的时候，觉得精美绝伦，可是一旦被聚财者收藏在保险箱里，就一点美感也没有了。《长生殿》里有一段以美玉宝石形容丑女形象的文字："眼看猫睛石，额雕玛瑙文，密蜡装牙齿，珊瑚镶嘴唇。"这是在以美写丑，读来确实使人生厌，因为这里的形容只能使人联想到这些珠宝的金钱价值，而无法使人联想到它们的脱俗美。至今为止的整个人类社会一直是一个功利社会，政治的成败、经济的贫富、道德的好坏，都有明确的功利目的和功利标准。唯审美的价值、审美的境界可以超乎功利，获得精神上的彻底自由。当人们欣赏断臂的维纳斯雕像时，不能不为她的超凡脱俗的美而感到震颤，这个时候没有人去想没有双臂的女人怎样劳动和生活。千百年来，人们相信，维纳斯就是这个样子，只能是这个样子。人们不再关心原本维纳斯雕像的样子，人类将自己对自由精神、对审美理想的追求，对摆脱功利缠绕的希望寄托在她的身上，人类的集体审美意识创造了她，她又反过来使人类更伟大。近年来，在澳大利亚海滨兴起了一种沙滩雕塑的艺术创造活动。当海水退潮时，无数的人拥向沙滩，抓紧有限时间，在沙滩上塑起心爱的沙像——动物、建筑、人像等等；海水涨潮时将它们全部卷走。人们为了这短暂的美丽，而乐此不疲。目前参与这一活动的人数与日俱增。人们何以有这种热情？它并不增加任何财富，甚至不留下任何创造活动的痕迹。可是这种创造美的活动对于荡涤占有的欲望，对于摆脱患得患失的狭隘心理，对于激发创造的热情，对于潇洒地面对社会风云、人生际会，一定很有意义吧？

余纯顺的名字我们应该是不会忘记的。他独自万里走神州，穿越了人迹罕至的"死亡禁区"，最后走进了罗布泊的深处再也没有回来。他的勇气、他的豪情、他的毅力，赢得了"壮士"的称号。在中国历史上能赢得这一称号的人是不多的。他没有钱，没有权力，也没有达到自己的目的，如果苛刻一点的话，也可以说他是一个失败者。可是他在无数人的心目中建造起了一座不朽的丰碑，认识和不认识他的人都真心诚意地敬佩他。敬佩他什么呢？敬佩他达到了这样一种境界。我想，这种境界没有其他语言可以表达，只有一种语言，即达到了美的境界，一种不计名誉、不计报酬、不计成败，甚至不计个人生命的超功利境界。他的这一壮举的唯一目的就是想要检验人的力量到底有多大潜力，人的精神的力量到底有没有边界。他想要用事实来说明，人的潜力是无限的，人们以为的人的可能性的极限是可以突破的，人的精神的力量是人的力量的本质。在这一境界里，人的肉体生命和精神生命真正达到了完美的统一。正是因为这个原因，余纯顺的壮举穿越时空、超越种族，是属于全世界的。我想，生活中的孔子、释迦牟尼、耶稣、富兰克林、爱因斯坦等，都是进入这一美的境界的人类的代表，他们能够把博大的爱、超越常人的毅力和智慧完美地结合起来，不计功利地毕生追求。如果从这个意义上理解蔡元培倡导的"以美育代宗教"说，确乎是有些道理的。

美育活动可以丰富多彩，但如果不能获得一种美的感受，不能体验一种美的情怀，不能接近和进入一种美的境界，那只是活动，而不是美育。美育的本质意义不在于技术层面，不在于获得一些技能技巧，而在于培育美的精神，即对美的境界的追求（这里丝毫没有看轻鉴赏美、创造美的具体能力的意思，鉴赏美、创造美的能力与感受美、实践美的深刻性无疑是相辅相成的）。美的境界并不是高不可攀的，人生而具有追求美的天性，具有摆脱功利、超凡脱俗的意向：五音不全的人也会哼，色彩不辨的人也爱涂，大字不识的人也有诗；吝啬鬼也有破财助人的冲动。美育的任务就在于引导、升华这种爱美的天性进入美的境界。

如此看来，美育的价值和美育的活动要比传统美育的概念深刻得多，丰富得多，广泛得多。毫无疑问，文学、艺术教育是美育的核心，但目前的文学、艺术教育，无论是在课程、内容的安排上，还是在对已有材料的把握、开掘上，都缺乏美育意识。就是那些传统上看做是美育的课程，本该令人赏心悦目、净化灵魂，可在很多地方却成了加重学生负担、枯燥乏味的课程。这不能不提醒我们需要对美育从课程理念、从教学目标、从内容安排到教学方法进行认真的检讨。美育绝不能简单地套用智育和德育的模式，美育不该简单化，更不该庸俗化，美育需要以美的精神来进行。

美育以文学艺术教育为核心，这只是从文学艺术的典型性、深刻性来说的，而不是从美育的范围和途径来说的。事实上，美育的范围是极其宽广的，美育的途径是多种多样的。审美活动和实现美的实践过程是充满创造性的，充满个性的，美育也非常需要有创造性的智慧，需要个性化。美育绝不仅仅是音乐教师、美术教师的事，美育贯穿于教育的全过程，贯穿于包括课程设计、环境布置、管理风格、人际关系等各个环节。当我们对美育的价值和性质有了新的定位以后，探索美育的新思路无疑就成了全面推进素质教育的重要任务。

## 第五节　把握信息技术教育

人类有文字可考的文明史已经有五千年了，但如果把这五千年缩短为 1 个小时的话，那么，信息技术是在这个小时的最后几秒钟才出现的。可是正是这最后的几秒钟，深刻改变了并更加深刻地改变着人类的生活方式：它使人们认为不可能的事变得唾手可得；使社会生活的每个环节都与电脑和网络相联系；使人的创新能力和创新精神成为取胜的最重要的法宝和人才的最重要的特征。与此同时，人们的价值观和思维方法也发生着相应的深刻变化。

信息技术（Information Technology，缩写为 IT）一词正成为当今世界最为流行的词汇之一而走进我们生活的每个角落。随着计算机的普及，特别是国际互联网的普遍运用，信息技术的威力越来越不可限量。

信息技术对生活的影响，不管你喜欢不喜欢，它已经成为挥之不去、无孔不入、无法回避的现实；信息技术对教育将会产生怎样的影响，对此，我们显然缺乏应有的思想准备。

## 一、信息技术教育的巨大功能

我们已经进入了这样一个时代：科学技术发展的速度超出了我们的想象力。在信息技术特别是网络技术出现以前，人类的文明大概可以分为两个大的阶段：农业文明和工业文明。漫长的农业文明差不多占据了五千年文明史的 4700 年。在这 4700 年中，人们的生产、交往、通信、交通方式几乎是千年如一日，代代都相同。

200 年前，人类进入了蒸汽机时代。马克思说，动力方式的改变使得资本主义在 200 年内创造的财富比人类有文明史以来所创造的财富的总和还要多得多。100 年前，人类进入了电器时代，能量的远程输送，使得列宁相信，共产主义就在于苏维埃加电气化。50 年前，人类进入了电子时代。由于电子技术实现了声音和图像的同步传送，从而改变了人类的时空观念，在教育上则实现了远程教学。

20 世纪 80 年代特别是 90 年代以后，人类进入了一个新的文明阶段——网络文明。基于网络文明的信息技术将从根本上改变人类的生活方式，毫无疑问，信息技术也将从根本上改变我们的教育方式和学习方式。

信息技术改变着人们关于知识的观念：按照传统的观念，知识的获得主要通过书本，知识的多少与学历与年龄成正比，知识是能够穷尽的，知识是终生有用的。可是信息技术却把图书馆微型化了，将世界上无数大型图书馆通过网络搬进电脑、搬进个人的家里。面对网络这样一个浩瀚的知识海洋，个人之间在知识上的差距，一位教授与一名小学生在知识上的差距，就显得微不足道了。在网络时代，文盲不再是不识字的人，而是没有学会运用网络的人。所以美国前总统克林顿把其教育目标简洁地表述为：8 岁的儿童学会识字，12 岁的儿童学会上网，18 岁的青年都进大学。

信息技术在改变着知识的数量观念的同时，又改变着知识的质量观念。根据情报学家的统计，第二次世界大战以来，知识的陈旧周期不断缩短，进入 20 世纪 90 年代，每隔 4 年，就有 75% 的知识被更新。换句话说，一名大学生进校第一年所学习的知识，到他毕业时 75% 已经需要重新审视。而信息技术使得这种被更新的知识以分以秒的速度不断送到人们的电脑屏幕上。

信息技术改变着人们关于学习和教育的观念：一提到学习，在人们的心目中立刻会联想到老师、书本和生活经验；一提到教育，人们立刻会联想到教师对学生的面对面的单向交流，联想到固定的教育对象、固定的班组和教室、固定的教学内容、固定的教学速度、固定的评价标准。可是信息技术却从根本上改变着这种学习方式和教育方式：教育过程在本质上成为一种选择过程，电脑和网络以及其他多媒体设备成为教育的中介，教师通过信息技术发送信息，学生通过信息技术接受信息。这里教师的"发送"包括从声音、文字、图像、演示、讨论到模拟仿真等多种形式；学生的"接受"包括从不同程度、不同速度、不同时间、不同指向的主动选择，包括生—机、生—生、师—生的个别的和群体的相互论辩。

原有意义上的有固定场地、固定班组、固定活动的学校教育形式，将成为学生进行社会交往的处所，而知识的学习将让位给不受时间和地域限制的信息技术。所以网络学家说，未来的教育将是这样一幅情景：要学习知识吗？请你回家去；要玩吗？请你到学校去。

当人类创造了文字以后，便告别了耳传口授的时代，它使得人类的经验、思想可以被记载下来，使知识的传递突破了时间的限制；隔代相传，突破了空间限制；超越地域相传，开创了人类教育的新纪元。

工业革命前后，班级授课制应运而生，成为现代教育制度的主要内容之一，开启了教育大众化的历程，形成了人类对教育制度、培养目标、课程设置、教育内容、选拔方式等的系统建设。但班级授课制以这样的假设为前提：相同年龄的儿童其发展水平和发展潜力相同，所以对相同年龄的儿童以同样的速度、同样的要求教授同样的内容，并以同样的标准进行统一的评价。然而，这一假设是不成立的。在智力上，7 岁儿童的实际智力水平在 4~11 岁之间；在性格上、认知风格上，也是五颜六色，"人心不同，各如其面"；在家庭背景上，政治、经济、文化的差异十分巨大。这就注定了班级授课制一开始就种下了教育的一系列祸根：非针对性、去个性化等。教育的理想是促进不同的儿童根据各自的特点得到更好的发展，而事实却是教育使得不同的人变得越来越相同。这个问题的严重性随着国际竞争的加剧而加剧。因为对个性的消磨，也就是对创造性的消磨。所谓创造性首先在于差异性，在于与众不同。差异性没有了，创造性的基础也就没有了。

班级授课制的另一个祸根在于对学生学习主动性的消磨。由于人类信息传递手段的限制，决定了教育内容呈现方式的单一化，这就无可避免地决定了教师讲、学生听是教育活动的基本形式。同样无可避免的是，造成了学生对教师的依赖性和消极的等待性格。

在消磨学生的个性和主动性的同时，传统教育顺带种下了第三个祸根——师生间的尊卑差异。一群稚嫩的儿童终日面对一位知者、一位长者、一位德者，怎么可能不逐渐产生深刻的无能感、自卑感和负罪感呢？而知者、长者、德者又怎能不逐渐产生良好的万能感、优越感和正确感呢？可是也就是与此同时，社会固着了对教师角色的期望，并由此带来了教师人格的单一化。我们需要明白一点，当我们的某一行为事实上造成了对别人的某些伤害时，我们自己也势必受到同样的伤害。

## 二、实现教育的第三次飞跃

信息技术的日益成熟和普及，为消除这些祸根，实现教育的第三次飞跃提供了平台。

首先，信息技术的智能化，可以根据学习者的情况自动生成相应的教学内容和教学进度，确定相应的针对个人的评价标准，实现教育的个性化，使因材施教的理想真正成为现实。

其次，信息技术实现了人机互动模式，根据学习者的目标、选择和努力程度等给予不同的反馈，给予象征性的奖励和惩罚。在传统的教育中，没有学生的积极主动性，教学活动可以照样进行；而在人机系统中，没有学习者的积极反应，教学活动将会终止，学习者的积极主动性乃是教学活动正常进行的必要条件。

第三，信息技术将改变人们关于知识的观念，将使面对面的教学活动退居次要地位，知识与长者和德者将完全分离，智慧与人格也将不断分离，教育中无法避免的师生尊卑差异将完全可以避免。这将极大地促进师生关系的民主化，有利于学生积极人格的养成。

信息技术给教育带来的这些变化，将进一步促进我们思考更深刻的问题。

教育的功能是什么？到目前为止，由于历史条件的限制，教育的多种功能、教育的主要功能被一个次要的功能掩盖了；或者说，教育的一个次要功能——传授知识的功能过于膨胀，挤占了教育的其他功能和主要功能。信息技术把教育从单一传授知识的桎梏中解放出来，使教育有可能把重点放到教育的主要功能上来。教育的真谛在于：将知识转化为智慧，使文明积淀成人格，信息技术使这一追求成为真正的可能。但是，这并不是自然而然的，它需要教育工作者把握信息技术，重新认识教育的功能，履行教育的真正使命。

如果不能够正确把握信息技术，不能够认识教育的内在功能，不能认清新世纪教师的真正使命，非但不能发挥信息技术在现代教育中所能起到的巨大作用，使教育从繁重的知识传授和应试教育的重压中解放出来，而且可能适得其反，使信息技术成为应试教育的帮凶。现在有些学校变粉笔加黑板的"人灌"为电脑加光盘的"电灌"，就是一种表现。

把握信息技术，首先要消除对信息技术的种种误解，对信息技术的意义和作用有一个正确的认识。在这里存在着的第一种误解是，认为信息技术与我们已经熟知的电化设备一样，只是一种教学的辅助手段，对以电脑为核心、以网络为纽带的现代信息技术的巨大功能和对教育可能产生的革命性影响估计不足，对已有的功能也只是采取消极的等待态度，远没有像重视应试考核那样重视信息技术，远没有像重视研究教材、考卷那样重视对信息技术比如课件技术、网络技术的开发利用，特别是没有重视信息技术在改变教育的模仿性、等级性、模式化和群体化等方面所潜藏的巨大力量，而这些方面恰恰是传统教育根深蒂固，甚至无法摆脱的弊端。

要把握信息技术，无疑要学会运用信息技术。在这里存在着第二种误解，即认为运用信息技术必须懂得信息技术的原理，所以有极大的畏难情绪，有一种非我辈所属的自卑心理。其实，运用信息技术未必懂得信息技术。信息技术的一个最大特点就是与人交朋友，它追求的最大目标是比电视机操作还简单。电脑已经从键盘——指令时代进展到视窗——鼠标时代，并正在进入语音遥控时代；网络也正在突破有线连接走向无线连接。这些都使得信息技术的运用变得轻而易举。在信息技术的挑战面前，你不掌握它，它就要淘汰你。

迄今为止，人类任何一种新的科学成果都非十全十美，而且都具有正、负两方面的效应，信息技术也同样如此。尽管信息技术有人们无法估量的巨大功能，有高速度、大容量、立体性、多方向、智能化传送呈现信息的功能，但信息技术并不能激发学习动机，不能使人更聪明，也不能使人更勤奋。这里存在着一种最严重的误解：有了信息技术可以不要教师。

## 三、网络时代的教师

教师优势的丧失与教师功能的凸现并行不悖。进入信息时代，在信息技术面前，教师在知识和信息方面的优势将逐渐丧失，面对每天排山倒海压过来的新的知识和信息，师生处在同一个起跑线上。而且，由于年轻人的敏锐性和接受能力快的特点，教师反而会处于劣势。但是，这并不表明教师在信息技术日益普及的今天不重要了，并不表明教师功能的丧失。恰恰相反，由于教师可以从次要的知识和信息传授的任务中解放出来，教师真正的功能，教师之为教师的功能，才更加凸显出来。

使知识转化为智慧。过去，我们用"汗牛充栋""学富五车"形容一个人读的书、拥有的知识多，可是今天，"充栋"也好、"五车"也好，都可以压缩在一张光盘里；过去，我们说"学者即良师"，可是今天，手提电脑带在身边，就是最大的学者。传知已不重要，启智才是良师。所谓智慧并不是空灵缥缈的东西，我在《反思科学教育》一文中，强调了科学教育不可偏废的四个方面：科学知识、科学方法、科学态度、科学精神，这四个方面的结合就是智慧。要培养学生的智慧，教育就要有相应的措施。以往，教师告诉学生，世界是什么样的，应该怎样做；今天，要求教师启发学生，世界可能是什么样的，应该怎样想，可以从什么地方获得知识。这就是从传授知识向启发智慧的转变。面对铺天盖地的信息源，我们需要教会学生求知的渠道，学会对知识信息的判断和选择。知识是现成的，可是知识的获得却是孜孜探求的结果；知识本身是多变的，可获得知识的方法却是少变的，因此教会学生致知的方法，要比教给学生现成的知识重要得多。按照传统的观念，知识是永恒的，知识一旦拥有，终身再无所求。可是知识更新的历史却告诉我们，任何知识都是相对的，知识的本质不但不是永恒，恰恰正是打破永恒，不断推陈出新，这种疑知的态度，对于学生形成终身学习的观念和不断进取的精神非常重要。知识经济的根本推动力在于知识的创新，所以创知的精神和相应的创知能力，是启智教育的最高目标。

使文明积淀为人格。信息技术可以有效地帮助学生了解和掌握文明的成果，但却不能使其内化为人格。人格是人之为人的社会内涵，人格不是教导出来的，更不是信息技术传递得出来的，人格需要人格的濡化，精神需要精神的感染。在未来社会我们的学生是否具有灵活的适应能力，能否根据社会、市场的需要不断改变自己、重塑自己，又有自己做人的原则，形成有原则的适应性；是否具有强烈的竞争能力，又懂得社会协作的本性和协作的技能，形成有协作的竞争性；是否具有强烈的创新愿望和创新能力，又牢牢地站在前人的肩膀上，形成有继承的创造性；在多元化的社会中，能否理解、尊重、包容不同的思想观念、不同的生活方式、不同的人生目标，又有自己的崇高理想，形成有理想的包容性。这些是任何技术所无法替代的教师的独特使命。

智慧需要智慧的启迪，人格需要人格魅力的感召。

信息技术为教育的新飞跃提供了平台，也对教师的素质提出了根本挑战。信息技术呼唤新世纪的教师。

## 第六节　走进体育

当我写下这个题目时，头脑里立刻浮现出一幅画面、一个数字和一个场景。这幅画面准确地说是一座雕塑，但因为我总是从画面上看到的，所以在头脑中显现的是画面，这就是米隆的"掷铁饼者"。这座古希腊时期的雕塑，距今已有2500年，可那股蓄势待发、力抵千钧的雄风依然让你动魄，那种无可阻拦的爆发力使你的肌肉也会随之紧张起来。早在2500年前，力和美就如此完美地结合在一起，实在令人叹服。想到的一个数字则是：据统计，美国中学的一种历史教科书中，78%的"英雄人物"是开拓南极、登上月球、发现新大陆、深入百慕大的冒险家，而政治家、科学家、军事家、艺术家等只占22%。联想到的一个场景是：一次有机会游览了云南丽江的玉龙雪山，那是一座海拔5600多米终年积雪的山峰，处于尚未人化的原始状态，满山的乱石和丛林。乱石丛中，修了一条两公里的索道，可以把人送到近4000米的半山腰。为了乘索道，得排队等候两三个小时。再健壮的中国小伙子，也都焦急而又无可奈何地等待着。可当我乘上了索道缆车后，却看到了另一幅令人激动的画面：一群群外国人，有男有女，有老有少，穿着备好的行装，气喘吁吁，不乘缆车而在乱石丛中攀爬。这种场景在峡谷、在荒漠、在峻岭你都有机会看到。我也不知道为什么会在一刹那间，同时想到这三件事。也许这看似相互没有联系的三件事，其实都灌注着一种相通的东西，即体育的精神吧。

## 一、体育精神

体育精神是什么呢？在我看来，体育精神是一种强力的冶炼，是一种冒险精神的培养，是一种运动习惯的形成。

古希腊的斯巴达有一种近于野蛮的传统，当婴儿降生后即将其浸到冷水里，如果他的抵抗力足以让他活下来，就活下来；如果他活不下来，就不必让他活下来。在西方的文化观念里，肉体与精神是不可分离的，没有强健的肉体，就难以有坚强的精神，坚强的肉体是坚强的精神的载体。为了让坚强的精神能够寄予强健的肉体，就有了马拉松，就有了"掷铁饼者"。"掷铁饼者"绝不仅仅是一座雕像，绝不仅仅是一件艺术品。任何真正的艺术品，都是一种文化的产物，都蕴涵了一个民族、一种文化的某种理想，"掷铁饼者"在某种程度上可以说是西方体育精神的凝固，可以说是一种图腾，体现了人对无穷伟力的向往。这种精神孕育了一些在我们看来近乎残酷的体育运动项目，比如斗牛，比如拳击。西方人在我们认为不可理喻的行为中，感受到虽败犹荣的境界。他的失败甚至他的死亡使同样是人类的另一个人的超人力量得到了展现，可以毫不勉强地说，没有失败者，也就没有胜利者。从古罗马的决斗到今天的拳击，虽然更规则、更文明了，但崇尚强力的精神却是不变的。

在中国的文化传统里，精神与肉体是分离的，甚至是对立的，宋明理学把这种观念推至极致，提出"存天理，灭人欲"的主张。中国人也讲"浩然之气"，讲"大丈夫精神"，但这种精神主要是靠修身养性、靠诚心正义获得的。这当然也有道理，但它不具有体育精神。

1905 年废科举、兴学堂以后，我们在引进科学的同时也引进了体育的概念。但是，中国人是用修身养性、用智育的观念来消融体育的。"向受教育者传授健身的知识、技能，增强体质，培养自觉锻炼身体习惯的活动"，这是《中国大百科全书·教育卷》给体育下的定义。假如我们做一个小小的概念替换游戏，你就会发现，这是一个智育概念的翻版："向受教育者传授科学的知识、技能，增强学力，培养自觉学习习惯的活动"（顺便说一下，这种关于智育的观点也是很肤浅的，我在前面的文章中已经有所阐述）。体育不是智育的延伸，更不是智育的翻版，体育有体育的本质和特点，体育不能按照智育的模式来进行，同样也不能以智育的方式来衡量和检查。非常遗憾的是，作为全面发展教育方针的一个重要组成部分，我们的学校体育基本上游离于体育的本质之外，被一些肤浅和模糊的观念左右了。

体育不等同于达标训练。国家关于中学学生运动能力和运动水平的标准，是对中小学生的一种期望。学校为了促进学生达到这一标准，给予各种有益的帮助、指导和要求，也是无可厚非的。但是如果把体育局限于有关体育标准的知识、技能和目标的达成，体育围绕达标而展开，就把体育引入了运动能力和水平达标的应试教育了。不达标，就没有体育吗？达标了就可以不要体育吗？如果是这样的话，相当一部分学生，几乎不要体育就能达标，而另外相当一部分学生，放弃所有与达标无关的活动，全身心地投入为达标的努力，也无法达标。把达标与体育等同起来，等于取消体育。

有运动不等于就有体育。对体育最普遍的一种肤浅的理解是，体育就是运动。体育当然离不开运动，没有运动就没有体育。但这并不是说，有了运动就一定有体育。斯文的运动不是体育，比如下棋、打牌就不是体育，下雨把学生关在教室里做做操当然也就不是体育了；机械的运动不是体育，比如走路上班也有运动，但那不是体育；稍息、立正、齐步走，当然也就不是体育了；游戏也不等于体育，以游戏的心态对待体育，那是一种很高的境界，反之却不然，游戏并不等同于体育。

体育不能仅以安全为前提，也并不能延年益寿。强力既是一种体力，也是一种精神，就像汉语中说的血气。现在的学校体育往往画地为牢，以安全为前提。太温文尔雅了，太循规蹈矩了，太整齐划一了。擦破一点皮，流了一点血，就不得了了；打破了一块玻璃，踢飞了一个球，就犯大错误了。长此以往，一个民族还有没有血气！体育可以健身，但体育并不能延年益寿。所有关于长寿原因的调查，很少有提及体育锻炼因素的，更多的倒是强调养生。体育是冒险的准备，冒险是发现和创造的前提。健身养性，是修不出哥伦布的新大陆，也养不出南极探险者的。

体育不是整饬纪律和惩罚的手段。我无数次地看到和听到过，有些学校把体育课作为整饬课堂纪律、训练遵守规则的手段，体育教师成了变相的训导员。很多学校的体育课常常 1/3 甚至 1/2 的时间进行遵规守纪的操练，甚至用强迫性运动作为对不守纪律学生的惩罚手段。这种认识和做法不仅不是体育，而且与体育的本质是背道而驰的，是对体育精神的践踏。所以难怪相当多的同学对体育课没有兴趣，还有不少同学讨厌甚至痛恨体育课。令人展现力量、令人精神松弛、令人热血沸腾的体育课，竟然会使学生感到厌烦，实在令人痛心。

## 二、体育是人类原始动力的文明表现

原始动力有点近似于动物性，但动物性在中国人的心目中，太负面、太触目、太刺激了，动物性被看做与人性是分离的，是根本对立的。人与动物不可以在同一层面思考，否则就太亵渎人的尊严了。可是，人离动物真的那么远吗？

从西方文化的观念来看问题，就是另一番景象。从希腊文明起，对人的理解就是，人一半是野兽，一半是天使。兽性是人性回避不了的一部分。人本来就是从猴子来的。所谓兽性就是自发性、攻击性、情绪性，所谓天使性就是预定的、理性的和克制的特性。在这一点上，埃及文化与希腊文化倒是相通的，许多动物，大到狮子、老虎，小到小猫、老鼠，甚至甲壳虫，都是人所崇拜的图腾。著名的狮身人面像典型地表现了人对动物的亲善和借助其力量的希望。到了近现代，这种人兽相通的意识，滋生出两个伟大的人物和伟大的学说，一个是达尔文和他的进化论，一个是弗洛伊德和他的精神分析心理学说。达尔文的进化论证明，人是动物进化而来的，动物性是人性的基础，离开动物性考虑人性是无法想象的，"物竞天择，适者生存"是人和动物的共同法则。弗洛伊德的精神分析心理学说试图证明，人的行为绝大部分并不是人的理性支配的结果，而是原始动力在无意识的情况下驱使的。这不是好不好或者喜欢不喜欢的问题，而是事实如此。说这么多，我们只是想要说明一点，人性当中具有动物性不是什么可耻的事，无需为此感到羞愧。人的伟大之处在于可以保持动物原始动力的冲动，而又纳入文明的轨道。

原始动力的第一个基本特点是自发性，是自由自在的放纵。规范的、合理的、有组织的活动，都是人类社会活动的特征。任何一个社会都必须遵守这些特征。但人的原始动力的自发性，实际上在潜意识深处经常决定和改变着我们的行为，经常促使我们不断打破自己建立的规范，不断引导人类走向尚处无知的领域。这种自发性需要一个释放的途径，体育活动就是一个最恰当的途径，它使得原始动力的自发性得到释放又不至于产生破坏性。任何激动人心的体育活动，都具有相当程度上原始的奔放、自由、无拘无束的特征。短跑、体操、远足、赛马、自行车赛、摩托车赛、汽车赛等，都是其自由的舞台。人类的这种不受限定的野性，也许正是突破陈规、不断创新的精神来源之一。

中国人信奉的人生哲学更具有决定论的倾向，相信的是"人算不如天算""谋事在人，成事在天"，儒家文化虽然也有"天行健，君子以自强不息"的一方面，但总的说来，更多是宿命论的，这就比较容易接受规矩而不是突破陈规。这种文化的传统使得我们在接受体育这一概念的过程中，突现了体育中规则的一面，而忽视了自发冲动的一面。

　　原始动力的第二个基本特征是攻击性。为什么西方人对于足球赛、冰球赛、曲棍球赛那么疯狂，那么投入，而且是不大打出手不足以平民愿？拳王阿里为什么如此受到世人的长期追捧？拳击手泰森劣迹累累，为什么又屡次过关重返拳坛？原因很简单，因为他们不仅体现了超乎常人的攻击性力量，而且满足了人类普遍的原始动力中攻击性的释放需要。这种攻击性就是打击，就是搏斗，这种攻击性表现在社会生活中就是竞争，表现在军事战斗中就是征服，表现在政治生活中就是霸权。这并不是赫胥黎的社会达尔文主义。如果一个民族长期缺乏必要的攻击力，能够相信这个民族会具有强大的竞争能力吗？20 世纪风云变幻的世界历史已经为我们做出了回答，饱经沧桑的中华民族更是有了深切的感悟。攻击要有攻击的对象，攻击力的培养要有培养的途径。体育，提供了相互攻击的对象，提供了最佳的培养途径。

　　攻击并不是孤军奋战，攻击的力量越强大，就越需要有协作。可以这么说，没有真正的攻击，就没有真正的协作。现代动物社会学的研究生动地告诉我们，越是有战斗力的动物群体，越具有协调性和良好的分工。中国人向来讲"和为贵"，不欣赏攻击。但事实上攻击的本性并不会因此而消失，结果这种攻击性就很有可能转变为隐蔽的攻击，背后的冷箭就是其最恶劣的表现。攻击性没有获得正面存在的合理性，攻击中的协作性也就不能得到良好的发展。中国人在个体间非强力攻击性的比赛项目中，比如体操、游泳、乒乓球等，可以屡屡得胜，而到需要强攻击性又需要强协作性比如足球这种项目时，我们的缺陷就充分地暴露出来了。

　　原始动力的第三个基本特点是情绪性的、非理性的超越。当骏马在草原上驰骋的时候，当雄狮在大漠中咆哮的时候，它们是要干什么呢？当登山探险队拿生命做抵押，征服了一座山峰又去征服另一座山峰，当长江第一漂的壮士将自己扔进惊涛骇浪之中，当蹦极运动员头朝地脚朝天纵身跳下万丈悬崖的时候；当刘易斯打破 9 秒 9 的百米世界纪录，又向 9 秒 8 进军的时候，他们是要干什么？你不觉得他们的行为是那么相像吗？他们没有终极点，他们的目标只有一个，就是更快、更高、更强。运动本身就是目的。现在许多被称为科学探险的活动，当初可是毫无科学性可言的。然而，正是这种盲目的、非理性的冲动，使人们知道，大洋是可以跨越的，南极是可以企及的，高山也是可以征服的。这种非理性的、非功利的运动，把力和美结合起来了。正是这种力和美结合的传统，使得我们可以在缆车上看到成群的外国人气喘吁吁地在乱石丛林中攀爬。

体育是有力量的运动，温文尔雅的活动代替不了体育。

体育是不规则的运动，规则只是为了使人的力量得到更自由、更奔放的表现才设置的。

体育是为争第一、为超越的运动，谦让也好，友谊也罢，那是表演，不是体育。

体育是一种习惯，不是仪式，体育在体育课中，更在生活中。

# 第七节 感悟艺术教育

## 一、艺术教育是一种语言教育

我们所处的大千世界到底是个什么样子？从不同的角度看会有不同的结论；人类生存到底可能有多少种方式？从历史上看，尝试多少种方式就可能有多少种方式；芸芸众生的思想感情有多大的差别，可以交流到什么程度？这取决于我们交流的语言丰富到什么程度。我们对问题的回答乃是我们能够回答的，我们认为可能的回答，只是我们已经认识到的可能。我们常常受我们已有知识的蒙蔽，以为世界的样子就是我们认识到的样子。一位学者有这样一句名言：我们认识世界的障碍不在于我们的无知，而在于我们的已知。我们对世界的表达极大地受制于我们已经掌握的表达方式。我们能把世界表达到什么程度，能把人的思想感情表达到什么程度，我们对世界、对人的认识就能达到什么程度。我们的表达方式越丰富，我们对世界的认识就越深入。所以语言的丰富程度、语言的掌握程度，标志着人类的文明程度，标志着个人的发展程度。从心理学上说，我们把语言的产生看做是人和动物的分水岭，语言对人类进步的重要性无论怎样说都是不会过分的。但是，一提到语言，我们通常会把它局限于以象形文字或字母文字为特征的口头语言或书面语言，忽视了除此以外丰富多样的其他语言，比如数学语言、科学语言、电脑语言，还有旗语、手语等，它们表达的内容和效果与文字语言有共同性，但却是不能等同的，它们的表达内容和效果有许多是普通的文字语言所无法替代的。如此丰富多样的语言的产生和发展不断精细了人类的感知，深化了人类的思维，丰富了人类的情感，提升了人类的文明层次。在丰富多样的语言中，这里特别要说的是艺术的语言，诸如绘画语言、音乐语言、舞蹈语言、雕塑语言、建筑语言等，它们是我们表现客观世界与主观世界的重要载体，是提升人类的生活质量和生活品位，获得幸福感的美妙途径。艺术语言是一种世界语言，它与数学语言、科学语言一样，可以不分种族、不分肤色、不分年龄、不分文化进行思想和感情的表达与沟通。现在，我们对数学语言、科学语言的重要性已有足够的认识，而把艺术看做是人类语言的一大部分来认识，就显得很不够了。艺术教育在我们的教育系统中只不过是一种技巧和调节生活的雕虫小技而已。这种认识极大地削弱了艺术教育在整个教育内容中的地位，同时也极大地影响了艺术教育的方式。艺术教育的价值远远不仅是一种技巧或装饰，它是人类精神世界的一种特殊的境界。从当下的功利价值说，艺术语言不能帮我们算账，不能帮我们生产流水线，不能帮我们治疗癌症，可是从长远的功利价值看，从人类精神世界的丰富与深化的角度看，与其他我们熟悉的语言相比，谁能说清楚孰轻孰重，哪一种语言更能反映人的本性呢？

## 二、艺术教育是感悟教育

深感不幸和惭愧的是，我本人可以说是四音不辨、五音不全，简谱也没有学好，更不用说五线谱了。但是当听到贝多芬的命运之声敲击耳鼓的时候，也会产生心灵的震颤，即使在嘈杂的火车或喧闹的工地上，这种震颤也依然会油然而生。当看到五星红旗冉冉上升，听到嘹亮的国歌雄壮地奏响的时候，总是一次又一次热泪盈眶。柴可夫斯基那幽怨、悲怆、细腻的声音次第传来的时候，常常会发出"此曲只应天上有，人间能得几回闻"的感叹；我并不会跳舞，可是看到《天鹅湖》中舞蹈家们用她们精美绝伦的肢体语言倾诉的爱恋柔情，是那样温馨委婉，你不能不被深深地打动；至于绘画，虽然横平竖直也掌握不好可第一次看到塞尚作品的真迹，心灵还是被深深地震撼了：那涌动的云，那冲破云层层次分明的阳光，那大自然的生命力！还有，不管是北京的颐和园，还是上海的金贸大厦，这些建筑语言所透露出来的人类文明的力量和巧夺天工的奇美构思，无不吸引我向往它，诱使我每次经过它们的时候都要驻足凝视。所有这一切，都是因为我多少能够感受、领悟到其中的一些意义。如果我丝毫不能感悟其中的意义，我就无法产生共鸣。任何一个国家的公民不管他的音乐能力多么低下，他对本国国歌的敏感和激情都会大大区别于他对其他音乐的感觉，就是因为国歌对本国的公民来说总是赋予了特别的意义。因此，艺术教育的首要任务无疑是要使受教育者理解感悟到某一艺术所蕴涵的基本意义。

但是我不得不说，这些感悟就我个人而言很少是在中小学时期获得的。我在中小学时期，上过音乐课、美术课，也上过少量的体操课，上课的老师也不为不认真负责，而且听说给我们上艺术课的几位老师还都是毕业于名牌大学，有些还有创作成就。但是，他们给我讲了些什么，我已经没有什么具体印象了，我留下的模糊的印象就是，老师在黑板上口干舌燥地讲简谱或者是讲笔画，然后学生一个个地练，然后老师纠正，表扬或者批评……艺术课与学科知识的学习是同一种模式，教学的目的和手法也基本上是一样的。

实际上这里提出了一个深刻的问题：不同语言的教育能够用同一种方法和模式进行吗？

科学语言交流的是知识，艺术语言交流的是感受。由于人类生理结构的一致性，决定了人类对世界的感受方式和感受结果具有很大的一致性。但感受到的不一定能表达出来，艺术家的伟大之处就在于他们以自己的才华，以他们对生活感受的深刻性和对表达感受的细腻，表达了人们的共同感受，引起了人们的共鸣，为人们提供了抒发情感和感受的载体。因此，从本质上说，艺术教育首先是满足人们能够从艺术的语言中获得共鸣、间接抒发自我感情的需要，学会欣赏（听懂或看懂）艺术语言，其次才是运用艺术语言表达自己的感受和情感。

能够运用艺术语言表达自己的思想和感情当然是令人向往的，但学会运用艺术语言表达自己的最有效的办法，首先得听懂或看懂它们，首先是能够感受它们。可以这么说，听懂或看懂了艺术语言，就或多或少地能够运用艺术语言表达自己，而不能听懂或看懂艺术语言，想要运用艺术语言表达自己势必成为一句空话。就和我们的生活语言一样，总是先听懂才会说，才能拿它来交流。而在实际的教学中，我们的教学基本上忽视甚至放弃了听懂或看懂这一感受和欣赏的阶段，试图一步达到运用的水平。结果虽然从小学到中学学习了不少艺术类课程，也会唱几首歌、画几幅画，但并不能感受艺术作品。

这不仅是教学方法的问题，主要的还是对艺术教育的观念问题。学会听懂或看懂艺术语言并不仅仅是为了学会表达，对大多数人来说学会听懂和看懂艺术语言更重要，也更现实。所谓听懂和看懂，就是能够理解、感受到音乐、绘画、舞蹈、雕塑、建筑等等艺术语言所表达的感情和意境。比如说《春江花月夜》，读这首诗，我们会想象到文字所表现的诉诸视觉的绘画的美，一种宁静的、悠远的、脱俗的美；而以同样主题为内容的音乐，则会引起诉诸听觉的类似的美，这两种感受之间仍然有无法替代、甚至无法沟通的地方。实际上，你感受到什么程度，你的内心世界就丰富到什么程度。因此一个人能够听懂和看懂多少种语言，某种语言能听懂和看懂到什么程度，决定了他的精神世界深刻和广泛到什么程度。一个人语言的单调、贫乏是一个人的不幸，一个民族语言的单调、贫乏则是一个民族的不幸。当然，如果我们不仅能够听懂和看懂，而且能够运用，那就不仅好，而且令人羡慕。生活中经常有所谓无法形容、难以表达的情感，其实说的仅仅是文字语言难以表达。如果他掌握了所有艺术语言，恐怕几乎就没有不能表达的情感。而且艺术语言的表达过程，往往又是美的创造过程。最美的女人是画家画出来的，就如同最美的声音是音乐家弹出来的一样。从这个意义上讲，艺术的美是最高的美。但是，就如同语文教育并不以培养小说家为目标一样，艺术教育并不以培养艺术家为目标，但无论如何，基础教育一定要完成培养学生能够欣赏小说的任务。不过语文教育与艺术教育还有不同，语文教育同样重视甚至更重视语言文字的运用能力，因为这是一个人在文明世界的基本生活需要。而艺术教育对艺术语言运用能力的培养不可能提出这么高的要求。我们现在的艺术教育之所以难以令人满意，关键就在于把听懂和看懂艺术语言与运用艺术语言的轻重和先后颠倒了。

### 三、用艺术的语言进行艺术教育

艺术语言是情感的表现手段，它不是摆事实，不是讲道理，不是客观描述，它是感受的叙说，是情感的抒发，是主观的表现。艺术的核心是情，艺术语言的本质是抒情，是情动于中，而形于外。艺术教育的本质是传情，检验传情的目标是否实现的标准就是看有没有打动学生。如果学生在艺术课程中若无其事、无动于衷、鹦鹉学舌、小僧念经，那这样的艺术教育一定不艺术了。要使学生动情，关键在于学生自身的参与，学生对艺术创作背景的了解，对艺术内容的理解，对艺术表现对象的关心。艺术教育中同样有以学生发展为本的问题。与学生的关系太遥远，与学生的生活太隔膜，与学生的生理心理年龄太脱节，与时代的色彩太偏离的教育内容，要引起学生的共鸣，要打动学生自然就比较困难。这就要求我们关心学生，研究学生，了解学生；要求我们关注社会，把握时代脉搏，了解艺术时尚。应该说，在学校课程这个层面上，艺术教育的空间是十分广阔的。

每个富有成就的艺术家对于艺术形象的创造、对于艺术语言的运用都常常达到一往情深、达到陶醉痴迷的程度。每个大艺术家都有着动人的创作故事。这里我不必重复瞎子阿炳或者贝多芬的故事，艺术创造离不开创造主体，艺术教育离不开主体故事。在论述科学教育时我也提出过希望注意对科学家发现科学奥秘的动人故事和心路历程的教育，那可以激励学生对科学的热爱和探索科学的热情。但感情和科学毕竟是两回事。而感情对于艺术来说却是一回事。艺术与情感分离开来就不再是艺术了。我们现在所进行的许多艺术教育丢失了感情，教师教得枯燥，学生学得乏味，这样的艺术教育实际上准确地说应该称之为艺术中知识与技巧的教育。

如果我们同意艺术教育中听懂或看懂艺术语言的欣赏教育比能够运用艺术语言更基本、更现实、更重要，那么，使学生有机会接触尽可能多的音乐、绘画、舞蹈、雕塑等作品，感受语言艺术的丰富色彩，领略艺术语言的绰约多姿，就是很自然的要求。如果说在印刷文化时代提出这样的要求还比较苛刻的话，在进入多媒体时代、进入网络时代的今天，满足这样的要求对于绝大部分的中小学来说，已经是比较现实的了。事实上现在已经有很多学校运用现代媒体技术将艺术课程教得生动活泼、生机盎然。对于更多的学校来说，并不是技术条件的问题，而是观念的问题，是对艺术教育的目标和任务的理解的问题。有什么样的教育观，就会有什么样的教学手段和教学模式。

艺术形式之间是相通的，沟通艺术语言之间的内在联系，是艺术教育成功的内在保证。艺术评论家们说，诗是流动的音乐，绘画是凝固的诗；舞蹈是流动的建筑，建筑是凝固的音乐。无非都是说明艺术语言之间的互通有无。中国文人崇尚琴棋书画俱通也是同样的道理。我们可以把一首诗画成一幅画，可以把一幅画谱成一首乐曲，可以把一首乐曲编成一个舞蹈；另一方面，不同的人，根据同一题材又会创作出不同的诗画乐舞。这就是艺术的相通性与个性的统一，也是艺术形象最迷人的地方。我在讨论语文教学的时候曾经谈到，同样是在"桨声灯影里的秦淮河"的命题下，朱自清和俞平伯的风格是那样的悬殊，可又都是那样的迷人，都成为佳作典范。如果我们的学生在课堂上面对同一个题材，可以领略到不同艺术形式的风采，可以领略到不同艺术家的不同风格，他们能不如痴如醉、能不流连忘返吗？

# 讨论题：

1. 谈谈"我的科学教育观"。
2. 谈谈"我的数学教育观"。
3. 谈谈"我的语文教育观"。
4. 谈谈"我的美育观"。
5. 谈谈"我的信息技术教育观"。
6. 谈谈"我的体育观"。
7. 谈谈"我的艺术教育观"。

# 3

# 教学方式的变革

教学方式能否反映知识增长方式的变化，
决定着教学效果是事半功倍，还是事倍功半。

——作者自题

## 第一节　知识增长方式的变革

人生苦短。目前我国的人均寿命是 75 岁。

按照这个年龄，人生有 1/4 以上的时间用于集中学习。小学 6 年，初中 3 年，高中 3 年，大学 4 年，整整 16 年。现在研究生教育也很普遍，如果加上研究生学习，那就近 20 年了。

在人生的学习过程中，我们是怎样学习的，什么知识最有价值，怎样以较少的时间获得较大的收益？我国大中小学生约 2.2 亿，他们的主要时间是学习，可是却很少有人认真考虑这样的问题。以前我们说，"书读百遍，其义自现"，作为一种学而不厌的精神，这是值得赞许的，但从科学合理、讲求效率的角度看，这就不值得提倡了。

18 世纪以后，工业革命加速改变着人类的生产方式和生活方式，也加速改变着知识增长的方式。在传统的农业社会，知识的概念、知识和生活的关系与现在是不一样的。中国古代从孔夫子到朱熹，一直到清代，形成了完备的教育制度和完备的科举制度。科举依赖考试，考试主要考的是"四书五经"，特别是《大学》《中庸》《论语》《孟子》四书。西方从古代希腊罗马以后一直到文艺复兴，讲究的是三艺。三艺教育包括语法学、修辞学、逻辑学。语法不是我们现在语文中讲的语法，而是一种语言的训练；修辞讲的也不是我们现在的一些修辞手段，而是指辩论术，所以西方人非常崇尚和善于辩论；逻辑学则是一种思维方法和思维能力的训练。西方文艺复兴以后，英国的思想家培根提出了一个很重要的命题叫"知识就是力量"。但培根的"知识"已经不是"三艺"了，而是经过实验证明的科学知识。自从科学知识成为学校教育的主要内容以后，教授科学知识就成为学校的主要任务。怎样教授这些知识也成为教育学研究的重要内容。

这个问题事实上在之前已经有所涉及，这里要专门谈一谈。因为现在知识增长的方式已经不能单纯用"变化"来表达，而是在变革，或者称为革命性的变化。针对这种变革的特征，教学方式也需要进行变革——革命性的变化。

现代知识增长的方式呈现四个明显的特征：一是知识加速度增长；二是知识综合化趋势成为知识增长的本质特征；三是理论迅速向技术转化；四是知识传播的方式发生重大变革。

## 一、知识加速度增长

自工业革命，特别是信息革命以来，知识的总量迅速增加，知识的增长呈现出一种加速度的态势，是一种以几何级数增长的方式。我们古代的"四书五经"加起来就那么几本书。如果你学古文，最完整的典籍就是《十三经》。它把中国所有的典籍都囊括在内了。后来发展成哲学、史学、文学等。19 世纪以后，有了社会科学，如经济学、法学、管理学、社会学、教育学、语言学、政治学，等等。更重要的是自然科学知识增长起来了。所以当下知识的概念和古人的知识概念不能同日而语。知识的增长已经不能用增加几个学科来衡量了。我们把现在的知识增长态势叫做信息爆炸。就以最"惰"性的语言来说，在历史的长河中，语言的发展是很缓慢的，语言可以千年不变。但是你看看我们现在生活中语言的变化，特别是流行语的变化速度有多快，你就可以强烈地感受到知识快速增长的情况了。网络语言作为一种新的语言又横空出世。现在已经出现了一个非常重要的现象：一部分人说话另外一部分人不懂。这里说的并不是专业术语，而是生活语言，特别是网络语言。这在10年以前都是很难想象的。

知识增长的加快不仅表现为知识总量的迅速增加，而且表现为知识更新周期的缩短。过去有用的知识，现在可能无用了；过去是正确的知识，现在可能成为谬误了。所以一个人如果不更新知识，可能比无知更危险。联合国教科文组织通过对全世界4000本杂志的研究发现，19世纪是每隔50年知识更新一次；到了第二次世界大战的时候，知识更新的周期缩短到15年；20世纪90年代以后知识的更新缩短到三年到四年。知识更新周期只有三年到四年意味着什么呢？就意味着我们进校时学的知识，到毕业的时候，知识已经完成了一个更新的周期，很多知识已经需要更新了。这一点，对从事IT技术，从事电脑科学、软件科学的人来说，感受更强烈。在这些领域，不是三四年，一两年，甚至几个月，就是一番新的景象。而这些领域是现代科学技术的领先领域，它们走在前沿，代表着发展方向，推动着其他各个领域的知识更新。

## 二、知识综合化趋势成为知识增长的本质特征

在一个很长时间里，知识不断分化、分支学科不断增加是知识增长的主要形式，20世纪以来，知识的综合化趋势不断增强，而且，知识综合逐渐成为知识增长的主要形式，成为科学创新的主要形式。上古时

期，伟大的思想家通常都是全才，既是哲学家，也是科学家，又是社会学家，他们融天地人的道理于一身。他们的学问称为无所不能的"智慧之学"，到现在西方很多国家大学的科学博士拿的学位还是 PH. D，即哲学博士，还沿袭着古代的传统。我们现在学习知识，也是按照分支学科来学习的。比如化学、物理、生物、地理，等等。但是 20 世纪以后，科学知识的增长呈现出一个强大的综合性趋势。学科之间的重叠、交叉并形成新的学科，成为知识增长和新知识产生的主要形式。比如诺贝尔奖，从 20 世纪 90 年代以后的获奖情况看，90% 以上是在学科的交叉部位和重叠部位产生的。纯粹意义上的化学、物理学基本上没有诺贝尔奖的获得者。

现在新出现的很多学科，如生命科学、材料科学、航天科学、环境科学、海洋科学、大气科学、计算机科学等，都是综合性学科。用传统的学科分类来分析是行不通的，因为它们都是若干个学科交叉综合而成的结果。由于这种学科交叉的结果，使我们面临一个新的学习环境，一种新的学习要求。对这种新的学习要求，我们必须予以高度重视。假如你有机会接触到外国的大学生，你问他们是学什么专业的，他的专业概念会是非常模糊的。因为现在的大学已经不强调分科性，恰恰相反，越来越强调综合性，强调跨学科性。只有这样，才能适应社会生活、生产方式的综合化。

举一个例子来说。20 世纪 80 年代恢复高考后不久，一所著名的工科大学有一个系，叫做锅炉系。锅炉是大型企业不可缺少的重要设备。锅炉有三种制式，一种是美国的，一种是欧洲的，一种是苏联的。这三种制式锅炉的工作原理，操作方式，是不一样的。所以学习一种制式的人不一定会操作另外两种制式的锅炉。80 年代我们国家百废待兴，很多大型企业需要这种专业人才，锅炉专业毕业生也是"抢手货"。锅炉系的学生大学三年级时工作就被预定好了。可结果是毕业生分到所在企业后，那个厂的锅炉他不会使用。因为那个厂的锅炉是欧洲制式的，他学的是美国制式的。当时这个事情被报道出来的时候，很多人觉得不可思议。怎么四年学一个锅炉，最后还不会使用呢？这就是当时的实际情况。

再举一个例子。一所大学的比较教育研究生，被一所师范院校要去了。当时研究生是很吃香的，学校把他当做宝贝，请他去学校开设教育学课程。可是他说他不会上教育学，因为他学的是比较教育。但是这个学校并不开比较教育学啊。但是来了个研究生不容易，学校因人设庙，为他开了一门比较教育选修课。可是他又说比较教育他不会上，他是研究美国教育的。校长说我们学校不开这个课程呀，但是想想人都已经来了，就让他上个讲座吧。但是他还是说不行，他说他是研究美国教育法的。

你是不是觉得这个事情很可笑？但是当事人并不觉得可笑，他还觉得很自豪，因为他觉得自己专业程度很高，是一个很专门化的人才。这就是我们当时的一种学习观念和人才观念：高度分化的专一性的人才观和学习观，所谓专业对口。

我举了一个锅炉专业和教育学专业的例子，实际上当时全国的高校都存在这样的问题。它迫使我们进行学科目录合并，调整课程结构，进行教学改革。大家知道复旦大学的前任校长杨福家先生，他是我们国家第一个在国际上担任大学校长的教育家。他是研究高能核物理的，他有一句名言：每年带十个左右高能物理的博士生，但他们最后真正从事核物理研究的只有一个人，另外九个从事不同的职业。有人做保险，有人做银行，有人做公务员……他说这就是他培养人才成功的标志，因为他们什么都能干。

这是一个很了不起的思想，他的话是在 20 年前说的。那时我们说的是学有所用，反对的是学非所用，学非所用就是不务正业。当时杨福家先生就提出：我的学生是学高能物理的，但是他并不从事高能核物理的研究，只要能为社会作贡献，他就是人才。20 年前很多人听他说这句话的时候都很震撼。

后来有一次我接触到了香港大学的一位副校长，他对我说了一件事情使我很受启发。他的女儿在英国的一个大学里学习人类学，但是她到了香港的渣打银行去就业。她的母亲是搞会计的，搞了一辈子会计。她对女儿到银行就业很担心。她想，女儿是学人类学的，到渣打银行去能干什么呢？可是经过了三个月的集中培训后，她完全胜任渣打银行的工作，而且她很容易接受现代银行理念，这对于单一从事会计工作的母亲来说，接受这些新理念反而是有困难的。这一年渣打银行在香港招了13个员工，这13个员工来自9个学科，其中学习金融专业的只有一个人。他们13个人集中起来，经过三个月的集中培训，然后被分配到各个部门，很快就适应了银行的工作。这就是现代的教育方式和现代的就业方式，这是现代人才培养的一个很典型的案例。

现在的职业流动非常快，全世界每天在消失几百种工种，同时又每天在增长更多的工种。太专业化的人，只能适应一个岗位的话，竞争力将大大受到限制。很可能过了几年你的岗位、你的行业都没有了。如果你不能适应这种新的结构性变化，就有"结构性失业"的危险。根据对就业问题的研究，结构性失业，也就是不能根据就业形势的变化、岗位的需要，而改变自己的就业岗位，出现有岗不能上的情况。结构性失业往往是再就业最困难的人群。比如说，以前我们的劳模，在两个岗位上产生得特别多，一个是电话的接线员，一个是印刷厂的排字工人。我们现在已经没有这两个工种了。在20世纪80年代，你打到城市的任何一个电话，都是通过电话接线员转接的。任何单位的电话号码你都不用知道，你只要告诉他接哪个单位就可以了，因为所有的接线员都知道全市所有单位的电话号码。每个电话员都能很准确地将电话接到你要的地方。你可以想象，这需要多么艰苦的死记硬背的工夫。这是一个造就劳模的岗位。可是有了程控交换机以后，全国几百万的接线员都失业了。

再说排字工人。中国的汉字是方块字，不是拼音文字。英文字母26个，我们的方块字有5000多个常用字。印一本书的话要把这5000多个汉字无数次地抽出来排到铅字板上去。所以他要熟悉这5000个字的位置，迅速地提出来放进去。这是很辛苦的，要靠熟能生巧，靠长时间的练习。然而有了电脑照排以后，那些很优秀的排字工人，短时间内都失业了。

包括有些高级的工种，如报社的版面设计编辑也会因为现代技术的运用而失业。以前，报纸的版面设计编辑在报社是很受尊敬的，也确实需要有丰富的经验。报纸内容确定了，版面设计编辑每天晚上要将报纸进行排版。这个排版需要有水平，有经验，有技术，还要懂美术。没有丰富的工作经验是不可能做版面设计编辑的。可是有了电子照排以后，版面设计的工作再也比不过电脑了。大专毕业生只要三天就可以掌握版面设计的基本技术，还能设计得很漂亮。

所以工种的变化，职业的变化与知识的变化是休戚相关的。现在对综合性知识的学习在很多学校已经成为一种时尚。比如，哈佛大学的学生不管文科、理科、工科、医科，他们的学习都分成六个板块。一个板块 30 个学分，六个板块 180 个学分。不管是哪个专业都要学这六个核心课程。当然这六个核心课程里面的选修课是很多的，学什么课程是可以选择的。所以越是好的学校，这种综合性的趋势就越强。

现在复旦大学、北京大学、清华大学都开始招元培生、基础生。什么是元培生？北大搞了一项改革，招文科元培生、理科元培生，理科的元培生数学、物理、化学、生物都学；文科的元培生文学、史学、哲学都学。没有具体是哪个系哪个专业的学生。试招前，社会反响会怎么样，他们也没有把握，开始想试招 200 个学生。结果，没有想到元培生的招生比例是其他所有招生比例的十倍。这说明社会、学校、家长已经普遍地意识到综合性学习的价值，这已是相当一部分家庭的普遍认识。

现在有些高校已经把辅修确立为一种制度，甚至成为明确的要求。比如你是学化学的，假如你只学化学，你就不能拿到学士学位，只能拿到大学的毕业证书。你要拿到学位，必须要有一个辅修专业，比如学化学的，必须辅修生物学，或者干脆辅修法学、金融学，等等。用一种制度去促进你辅修一个专业，在这些学校，综合性的知识学习已经成为具有强制性的导向。

### 三、理论迅速向技术转化

基础理论——应用理论——技术转化——市场开发，这被看成是科学发展、技术进步的必然道路，并由此分为不同的学习研究和工作领域。从理论发现到技术发明往往要经过几十年甚至几百年。在伽利略、牛顿时代，一项科学发现、发明要转化为技术需要一百到两百年时间。随着人类文明的发展，科学发明、发现转化成技术的时间逐渐缩短到五十年、十年、一两年。科研理论向技术转化的周期越来越短，从电能的发现到第一座发电站的建立用了 282 年；从电话的发明到第一个自动拨号电话机诞生，用了 16 年；从 1958 年出现第一块集成电路到世界建成第一条集成电路生产线，只用了两年。跟 IT 技术联系在一起的产品，如手机、MP3、数码相机、数码摄像机等，这种转化的时间更快，这是因为理论和实践的时间间隔几乎被消融了。只要你有好的想法，构思一出来马上就能变为技术，进入市场。在今天，理论和实践脱节的学习方式已经明显不符合时代的要求。

### 四、知识传播的方式发生重大变革

人类文明的历史是很悠久的，但是有文字可考的历史，只有五千年。当人类有了文字以后，文明的发展才越来越快。在文字出现以前是口传耳授的口头文明，因为它是现场的，不能进行间接的交流，也不能进行历史的交流，局限性很大，所以这时文明的发展速度非常缓慢。有了文字以后，就可以进行间接的、历史的交流，这时候也就开始有了学校，文明发展也就开始加速了，有了文字交流。文字的产生是创立学校的前提。

我国学校的历史非常悠久。在夏代的时候，中国就有了学校。那时候的文字是记载在贝壳、钟鼎、竹片上的，后来记载在丝帛上，文字阅读当时是很昂贵、奢侈的，所以文化只是少数贵族的享用品。大家知道汉代的时候有个文学家叫左思，赋写得很好，他写的《三都赋》，构思了十年，写成以后，抢着抄写的人很多，洛阳"为之纸贵"。因为传抄就要买纸。那时候的纸不是现在的纸，是丝帛，属于昂贵的奢侈品，存货不会很多，因此洛阳为之纸贵。这样的文化对广大的百姓来说，是无法问津的。

宋代的时候，发明了活字印刷术，这是我国的四大发明之一。为什么把它看得那么伟大呢？因为它使文化大众化。在宋代以前，文化是贵族的文化，跟普通老百姓、劳苦大众没有关系。民间文化仍然依靠耳传口授。活字印刷发明以后，与东汉的纸张发明相辉映，阅读成本极大地降低，文化走向了普通老百姓。所以活字印刷术对文化的传播，具有划时代的意义。如果文字的诞生是信息传播第一次革命的话，活字印刷术就是第二次革命。

到了 20 世纪 40 年代以后，电子通信开始发展起来，有了广播、电视。从印刷文化向电子文化转变，出现了新的空间突破。文字突破了时间的限制，可以历史地间接地传授，但是它还是被限制在一定的空间范围内。而有了电视以后，就超越了空间。信息的传播使你在世界的任何位置都可以同步收看。由此，人类文明的发展又一次大大提速了。

大家知道巴黎是世界时装之都，过去巴黎的时装流传到东京要一年时间，东京的时装要过一年才能到香港，香港再过一年到上海，从上海再辐射到全国各个地方。所以说巴黎的时装流传到中国的各个地方在电子化之前，要五年以上。可是现在有了电视以后，晚上直播巴黎的时装秀，第二天早上农村里的裁缝店就做出来了——最新巴黎时装。创造很困难，模仿是容易的。

20 世纪 90 年代以后，人类的文化传播发生了第四次革命——信息化、网络化。它给人类带来多么大的影响呢？用一句话说就是：你怎样想象都是不过分的。信息传播的变革使人类的生活方式发生了很深的变革，其速度之快，超出了任何一个人的想象。

举一个例子。我记得非常清楚的是移动通信的变化。我们现在叫手机的东西，最早叫"大哥大"。登陆上海时，我在大学读研究生，对这个东西很新奇，怎么没有线就能打电话呢？在上海的外滩有大哥大的展窗，我特地骑着自行车去看。当时的宣传资料上说，到 2000 年，中国的手机用户将会扩展到 300 万户。可是实际上到了 2000 年中国的手机用户达到了 2.5 亿，现在中国的手机用户超过了 4 亿。中国已成为最大的手机用户地。当时的手机入网费是 2 万元，当时大学毕业生的工资每月只有五十几块钱。现在的手机，几百块就可以买到。当时申请入网要一个月，手续很复杂，现在钱一付立马开通。现在手机第二代第三代也出来了，手机还可以听 MP3，看电视，可以进行各种各样的音乐会的实况转播。手机的功能变得越来越多，发展空间也越来越广，而价格却越来越便宜。

2006 年，胡锦涛主席访问美国，比尔·盖茨邀请胡锦涛主席参观他的未来家庭。比尔·盖茨家里的电子化、现代化已经展示了一个未来家庭的雏形。主人还没有到家，主人需要的一切已经准备就绪：合适的灯光，合适的温度，个性化的音乐……

电脑技术借助于网络更是如虎添翼。现在什么东西在网上不能查到？网络无所不能，给人提供了无所不包的信息。以前，我们在固定的时间固定的地点学习固定的知识，有了网络以后，可以在任何时间任何地点学习任何知识。

世界发生了如此的变化，我们的学习方式能不发生变化吗？这是摆在所有人面前的一个大问题，更是摆在大、中、小学校和大、中、小学师生面前的一个大问题。

## 第二节　教学方式的变革

在传统的学习中有几个观念是根深蒂固的：

第一，循序渐进；

第二，书读百遍，其义自现；

第三，专业对口；

第四，读书是获得知识的主要来源。

拿知识增长的方式变化来对照传统学习的这些基本信条，不能不引起我们的深刻反思。如果不根据社会发展的需要来调整、变革我们的学习方式和教学方式，我们就会落后于时代。它不仅关系到学习的效率，而且关系到我们的人才质量，关系到国家竞争力。

## 一、从循序渐进向构建个性化的知识结构转变

面对知识的快速增长，如果我们恪守循序渐进的原则，那么学到老，学到死也学不到人间知识之万一。更谈不上拿学习的知识去服务社会。

相对于这种循序渐进的学习方法，我们需要主动地创造性地去学习知识。

1. 追逐学科前沿。知识的前沿性和知识的难度并不成正比。我们以前主张打基础，以为基础打好了才能盖楼，现在拿这个比喻来比学习知识是不恰当的。先进的知识，并不是要把历史的知识学全了才能掌握，这里面没有必然联系。

北京市有所中学，高中一年级新生进校后，学校请北京大学的一位化学博士给他们上了第一节课。上课内容跟现有教材毫无关系，他讲的是化学研究最前沿的六大领域。比如他讲到，我们现在水资源很紧张，但是在海底下有足够的淡水资源。可这些淡水不是以液态的形式存在，而是以固态的形式出现，叫做旱冰。旱冰可以被拿出来用，但它先要被溶解。在液化的过程中会产生大量的二氧化碳。现在谁也不敢做这件事，因为如果谁把旱冰溶解成液体的话，整个地球就将充满了二氧化碳。所以谁能成功解决这个矛盾，也就是说在旱冰液化的过程中不产

生二氧化碳，或者用其他还原反应把二氧化碳分解了，那淡水紧缺的问题就彻底解决了，这对全世界的贡献就大了。

他就讲了六个这样的问题。那天我去旁听了，说实话，我从来没有感受过这种课堂气氛。所有的学生完全处在一种亢奋的情绪状态下，脸都是红扑扑的，眼睛雪亮雪亮的。我不知道他们到底听懂了多少，但是我感觉到了那种对科学知识的渴望，对真理的追求，这是我在任何其他课上都没有看到过的。追求学科前沿知识，不仅是必须的，而且是完全可能的。这种渴求，将孕育大科学家。

数学家陈景润之所以能成功完成数论研究，一个最直接的动因是他的中学数学老师讲了一个故事。有一次，他的数学老师完成教学内容后还剩下 5 分钟，就说："我给大家讲个故事吧。"就讲了"哥德巴赫猜想"的故事。他说，谁成功研究出"哥德巴赫猜想"，谁就摘取了数学王冠上的明珠。这句话对陈景润产生了终身影响。从此以后，他就尝试摘取这颗王冠上的明珠。这个故事把他的豪情激发起来了。他孜孜奋斗了二十多年，为解决哥德巴赫猜想问题作出了巨大贡献。

2. 建立个性化的知识结构。知识是无限的，个人能掌握的知识是有限的，使自己有限的知识具有比较优势，具有发展特点，是一个现实的选择。事实上，每个人都有自己感兴趣的领域，擅长的领域，感兴趣、擅长，也正是容易形成比较优势的领域。但长期以来我们片面理解全面发展，总想面面俱到，结果是平庸发展，成为读书机器。这里，我要提出一个重要概念，即个性化的知识结构。根据课程专家和心理学家的研究，知识是具有内在结构的，知识在整个知识体系中并不是等值的。掌握了知识的要素，就能掌握知识结构，就能融会贯通。这是从学科的角度说的。具体到每一个人，又因人而异，要根据自己的特点。形成有利于自己的学科群和知识要素，构成自己独特的知识结构。所以，所谓个性化的知识结构，是知识结构的优化、个性化。通过对成功人士的分析，你会发现，不管是哪类人才，即使是科学家或学问家，也都不是百科全书，而是学有专长、术有专攻、能有专属的。教和学都应该致力于构建个性化的知识结构，这样才能形成自己的比较优势，才能学有所用。

## 二、从消极被动的接受性学习向积极主动的探索性学习转变

老师讲学生听，这是我们的基本教学模式和基本学习方式。这对于保持知识的系统性有好处，事实上也正因为这个传统，我国学生的基础知识普遍反映掌握得比较扎实。在知识增长比较缓慢的时代，也许这样的学习方法是合适的，所谓一朝学习，终身受用。但现在终身受用的知识越来越少了，在社会生活中有用的知识越来越需要不断的补充，而这种补充来自于自我学习的意识、态度和取向。

激发学习的积极性，最重要的是把学习知识变成探索问题。学习知识与探索问题在现代学习中要实现一次翻转。在传统教学中，学习知识是目的，通过问题引导，帮助掌握知识是手段；可是在现代学习中，学习知识是手段，能够运用于解决问题是目的。在学习中能不能学会寻找问题、发现问题、分析问题、解决问题，是衡量学习成败的根本标准。在工作生涯中，我们会不断遇到各种新情况、新问题，能不能有效地发现这些问题和解决这些问题，是一个人职业生涯是否顺利的关键。而在今后的工作中将会遇到什么问题，在学校学习的时候是无法预料的。以问题为导向的教学，就把知识学习和今后的能力需要结合起来了，就把被动的知识灌输变成了能力培养。以知识为导向的学习，学生处于被动接受状态，处于等待正确答案的状态，缺乏积极性；而以问题为导向的学习，没有标准答案，得到答案本身并不重要，重要的是探索问题的过程。在这个过程中，学生才能成为真正的主体，成为主动的探索者。

## 三、从线性学习向 T 型学习转变

到目前为止我们的思想方法基本是线性的，即擅长什么学什么，将

来希望干什么学什么，所以高中就实行分科，分文理科，大学填报专业总是填报自己喜欢的专业。这当然很容易理解，在知识分化明显、分支学科主导的情况下，这也是很自然的选择。但是在知识综合化趋势不断加剧，处理综合问题成为最重要能力的今天，要把自己培养成为 T 型人才，复合型人才、交叉性人才，对传统的学习方式就要来一个反其道而行之。

将来想干什么，大学就不要学什么。经常有家长向我咨询："你跟我谈谈，我儿子（女儿）报什么专业好？上哪个大学最好？"我说："这个问题可不容易回答。"因为现在就业好，工资高的热门专业，过几年可能会变化。这个专业好，对你儿子（女儿）不一定好，因为个人的兴趣和擅长不一样。强扭的瓜不甜。所以我是很少给予别人具体建议的。但是我跟所有人都说："有一条不变：你将来想干什么，你就不要学什么。"很多人听我话后都不理解，怎么能这样指导呢？这不是胡说八道吗？我说："你别急，你想一想，你想干的事情就是你的兴趣，你的兴趣就是你的优势，就是你的知识结构。一个人，当他能够有兴趣、有志向从事这项事业的时候，他会自觉地学习那个东西。所以你就要学一个与你兴趣不一样的东西，这就是最好的自然生态的交叉。你喜欢这个东西，又学这个东西，就排斥其他东西了，你的发展水平就高不上去。你喜欢的加上你不十分喜欢的，你熟悉的加上你不太熟悉的，这不是如虎添翼吗？"。

在变化中学习。专门人才能否在世界不断变化的潮流中，适应这种变化，成为 T 型人才，成为复合型人才，成为能不断调整自己的知识结构和技术结构的人才，这就决定了该人在社会上发展的可能性。

美国的现代化水平是最高的，有统计表明：美国人在一生中平均流动 17 次，当然这个流动变化包括跳槽。但主要是因为社会在变化，个人不得不变。如果你到了 40 岁，去应聘工作，老板问你："你是第几次择业了？"如果你回答说："我这是第二次择业，以前我就在一个地方干活。"老板就会非常吃惊地问："你 20 多年就没有换过工作？"那是不可想象，不可思议的。

　　社会的变化使个人不断地了解自己的才能，寻找适合自己的工作，这是一个长期变化磨合的过程。在这个变化中，你不知道自己的潜力有多大，能力优势在哪，怎样才能为国家、为社会作贡献。没有一种心理学测验可以准确测出这些内容，只有在社会实践过程中，才能逐渐找到自己的位置，这就是一个不断发展磨合的过程，一个在变化中学习、同时也是在变化中改变和丰富自己的过程。

## 四、从学会知识到学会学习

　　中国有句古话：书读百遍，其义自现。我们普遍的学习观念是，读书是最重要的学习，而且书要反复读，要烂熟于心，倒背如流。能这样当然很好，要想得心应手，顺手拈来，就要有这样的工夫。问题是，知识数量的膨胀不允许我们这么做了，时间不允许我们这么做了。我们不能把太多的时间花在知识的重复上。我们要学会利用知识，准确地说，是要学会利用现代信息平台和现代信息技术手段获取和掌握知识。知识仅储存在书本中的时代已经过去了，现在是网络时代。知识无处不在，现在无线上网技术也发展起来了，就是说在任何时间、任何地点都可以通过网络获取你所需要的知识，下载你需要的资料。因此学会用现代信息手段寻找知识，已经成为一个现代人的基本素养。在网络上有大量的知识，曾经有个著名的信息学家说，一个大学教授和一个幼儿园孩子在知识上的差别，在信息网络面前，已经没有意义。一个人知识再多，比起网络来，就像大海里的一滴水，一滴水与一滴水之间的差异可以忽略不计。问题是怎样从网络上寻找、分析、判断自己所需要的知识，更重要的是怎样去使用网络上的知识。我们现在是以书本学习为主的，还感觉不到这个问题的迫切，但等你走上职场，走向社会以后，你就会发现，是否善于从网络上寻找知识解决现实问题就决定了你在工作岗位上的地位、收入、发展前景。

**现在可以没有电脑，但不能没有网络。**电脑随处可见，我们一般的重要文件都是存在网络上，而不是电脑上，没电脑没关系，但是一定要有网络。现在虚拟世界正在替代现实世界，准确地说，虚拟世界的功能正在逐步超过现实世界的功能。现实世界中的道路、医院、银行、邮局、商店、影院等等的重要性正在逐步下降，而虚拟世界、数字世界、网络世界的作用正在逐渐上升。有了网络就有了一切，你不能学会运用网络获取知识和信息，行吗？

**理论与实践紧密结合。**学习的目的全在于应用，懂得的东西再多，不会应用也白搭。如果学到的知识都能够很好地运用，即使学的知识不多，也比学富五车而不会运用的两脚书橱好。基础和应用，理论和技术在以前是分解的，可现在不是这样了。理论要联系实际，理论要结合技术，理论要运用方法。因为现在社会发展的一个重要特征是理论向技术转化的速度在加快。理论和技术的转化几乎是同步的，尤其是在新兴科技领域。学技术的人不掌握理论，学理论的人不掌握技术，这不仅对个人不利，对国家也是不利的。这种人才的分化观已不适应现代社会的需要。

我们学习中的一个普遍缺陷是不重视动手能力的培养，所以动手能力不强。有人做了一个简单的实验发现，外国学生爱动手，中国学生爱动脑。同样一个问题，在中国学校和美国学校里引起的反映完全不同："现在是八点，到明天八点，我们的分针、时针分别走几圈？"你看，中国的学生所有人都在动脑筋计算。拿同样的问题问美国的学生，所有的学生都是把手表拿下来转，一圈一圈地数。小事件中有大道理。

外国的学生在实验室花的时间是最长的，我们的学生在实验室花的时间是最短的。很多课程上都有规定：实验课 50 分钟或 100 分钟，可事实上我们学校的实验不到时间人都走光了。为什么呢？都做完了，包括步骤都写出来了。因为在做实验前已明确要做什么实验，用什么药品，怎么使用。到了实验室，验证下实验结果就行了，做好就走人。

可是在美国的学校里，做什么实验，老师不管，只是给学生一个指南，根据所学知识可以做哪些实验，但要做哪个实验让学生自己选择。学生告诉老师想做什么实验，想怎么做，对需要的器材开张单子。老师同意后就让学生自己去找。学生就到专门的药品教室找药品，设计实验步骤。没有一个实验是一次做成功的，都会遭遇失败。比如说做水被电溶解产生氢气和氧气。你就要电源、水、烧杯等等，自己开好单子，老师说可以，你就去领。领完后，你就去做。大部分情况一次是做不成功的，不成功没关系，先去上课，上完课有时间再来做，把每次做的内容记下来，包括对不成功原因的分析，下次再来验证。三次不成功，四次不成功，最后成功了。怎样成功的，一二三四五记下来，这就是实验报告。这才是理论联系实际，才是推动理论向技术转化的学习方式。"读书是学习，应用也是学习，而且是更重要的学习。"毛泽东同志说得何等好啊！

## 五、积极组织和参与社会活动

参加社会活动与学习有关系吗？太有关系了！在社会活动中学习知识，学习交往，学习人性，也学习思维方法。只有在社会交往过程中，在面对不同利益、不同观点、不同兴趣爱好，面对冲突和妥协的过程中，才能真正学到"顾全大局""团结协作""积极进取""运筹帷幄"这些品质和能力，才能建立责任感，才能真正锻炼领导才能，才能在公众活动中不陌生，不怯场，不退缩。没有活动，没有活动中的矛盾冲突、得失成败，光靠从书本上学习这些条目、概念、环节，是没有意义的。对于这一点，学校很少强调，家长很少重视，社会也很少提供机会。

参加社会活动需要时间，与书本知识学习有冲突，但与提高学习成绩，并不冲突。社会活动只要不过度，不仅不影响学习，而且有益于提高学习成绩。因为，第一，社会品质与学习品质有许多是一致的，比如用心、自律、坚韧，比如整体性、分类、抽象、概括，在本质上都是相通的；第二，在社会活动中可以提高自信心和责任感，可以学习对事情结果的预料和判断，可以增加对自己个性特点包括优点、缺点和弱点的了解，增加自知之明，从而提高对自己规划的能力。

参加社会活动不仅要参加有组织的集体活动，而且要参加个体的、松散的、自利的交往活动。在这种交往活动中，最能体现社会的竞争本质。如果一个人只具有正面的社会品质，而不懂得怎样"保全自己""拉帮结派""丢卒保车"等，也是一个不完全的人，是一个难以适应社会生活的人。而这些品质和能力在有组织的集体活动中是很难学到的。知识本身是多棱的，所以知识可以用在不同的地方；科学知识是知识，社会知识也是知识。列宁同志曾经说，一个人在社会运动中一个星期学到的东西，比他在学校里两年学到的东西还要多。这至今依然令我们深思。

## 讨论题：

1. 知识增长方式的变革与社会发展有什么关系？
2. 你怎样理解知识增长方式的变革对传统学习方式和教学方式的挑战？
3. 谈谈你对知识增长方式变革呼唤教育制度创新的看法。

# 4

## 素质教育——跨世纪的教育理想

教育的过程是知识交流的过程，
是心灵沟通的过程，
更是生命对话的过程。
素质教育是一种观念，是一种理想，更是一种境界。

——作者自题

## 第一节　为了中华民族的伟大复兴

自 1993 年 2 月《中国教育改革和发展纲要》提出："中小学要由
'应试教育'转向全面提高国民素质的轨道，面向全体学生，全面提高学
生的思想道德、文化科学、劳动技能和身体心理素质，促进学生生动活
泼地发展，办出各自的特色"的号召以来，从"应试教育"转向"素质
教育"，已多次写进了教育的政策文件，并成为广大教育工作者的自觉语
言。特别是 1999 年 6 月中共中央国务院做出了"关于深化教育改革全面
推进素质教育的决定"，"素质教育"进一步被确定为我国教育改革和发
展的长远方针，成为我国各级各类教育追求的共同理想。《中共中央国务

院关于深化教育改革，全面推进素质教育的决定》（以下简称《决定》）指出："新中国成立 50 年来特别是改革开放以来，教育事业的改革与发展取得了令人瞩目的巨大成就。但面对新的形势，由于主观和客观等方面的原因，我们的教育观念、教育体制、教育结构、人才培养模式、教育内容和教育方法相对滞后，影响了青少年的全面发展，不能适应提高国民素质的需要。"《决定》开篇对我国教育的估计是相当严峻的。我国教育虽然取得了巨大的历史成就，但历史的发展太快，相对于历史的要求，我们的教育滞后了。我们知道，教育最基本的职能就是促进青少年的发展。但我们现在的教育未能很好地履行这一职能，"影响"了青少年的发展。这种"影响"，来自于教育体制、培养模式、教育内容和方法等多方面，但首先是因为教育观念的滞后。《决定》号召全党、全社会从社会主义兴旺发达、从中华民族的伟大复兴的高度来认识素质教育的意义；同时强调，"全面推进素质教育，是我国教育事业的一场深刻的变革，是一项事关全局、影响深远和涉及社会各方面的系统工程。"

素质教育绝不是一种权宜之计，更不是换一种提法而已。我们要避免只注意到了素质教育的具体的、操作性的意义和内容，而忽视了素质教育的本质意义。素质教育的本质在于它的思想性和时代性，在于它是引导我国教育在向 21 世纪迈进的过程中，提出的一种新的教育理想，它期望形成一种新的教育价值观，达到一种新的教育境界。

## 一、素质教育是一种理想

任何教育都是功用性与理想性的结合。教育事业本来就是一项具有理想性的事业，没有理想的教育是不存在的。从孔夫子到陶行知，作为我国教育家的杰出代表，无不充溢着教育的理想情怀。孔子是一位伟大的教育家，他以及儒家的许多杰出代表人物都寄予教育以很高的热情和期望，希望通过教育活动培养君子贤人，治国安邦；陶行知向虚伪的传统教育宣战，致力于培养手脑并用的"真人"。他们的教育理想不仅是其教育行动的指南，是他们颠沛流离、奋斗不息的精神动力，也是感召人心、使人敬佩仰止的力量源泉。古希腊的柏拉图寄希望于教育养成理性国家的"智者"，法国的思想家卢梭希望通过自然主义的教育培养"自由发展"的人，美国的杜威希望通过"无目的"的教育培养有民主意识的公民和建立民主的国家……没有一位有影响的教育家不富有教育的理想，没有一种有影响的教育理论不是一种富有理想的教育主张。教育理想是教育活动的指南，是教育行为的向导，也是动员人们为之努力的精神力量。

新中国建立以后，经过 50 年的艰苦努力，我国的教育取得了巨大的成就：我们以全世界 1% 的教育经费支撑了 15% 的教育人口，我们的教育水平和教育质量从总体上说，处于发展中国家的前列，中小学的教育质量堪与发达国家媲美。"但我们的教育也存在着一些比较明显的弱点，有些是有世界普遍性的，有些是我国比较突出的，比如学生升学的压力太大，学生学得太苦、太累，普遍有厌学情绪；学生的学习过于被动，自主性、创造性、发展性较低；书本知识与实际动手能力脱节比较严重，学校教育与社会生活脱节比较严重；学生的实际社会生活能力软弱。如何从教育的管理体制、评价体系、课程设置、教学内容、学校中的人际关系、学校与社会的关系等有机联系的各方面，对教育进行深入有效的改革，使我们的学生学得有兴趣、有活力、有实效、有创造性，迎接 21 世纪的挑战，需要有一种既能融合以往教育经验又能体现现代时代精神的新教育理想的引导，形成一种对新的教育价值的追求。素质教育虽不敢说是反映这种理想追求的最好的表达，但却是一个易于接受的，简洁、明了，能承前启后的理想表达。理想是一种追求，是一个不断变化发展的过程，因而具有开放性。如果它有不周全之处、有可挑战之处，恰恰表现了它的可发展性，表现了它的成熟性，而不是它的弊端。

素质教育是这样的一种理想：

第一，它涵盖了教育的所有方面。《决定》明确指出："实施素质教育应当贯穿于幼儿教育、中小学教育、职业教育、成人教育、高等教育等各级各类教育，应当贯穿于学校教育、家庭教育和社会教育等各个方面"，"实施素质教育，必须把德育、智育、体育、美育等有机地统一在教育活动的各个环节中。"从这个意义上说，素质教育不仅是教育的理想，而且是社会的理想。教育各个方面的协调发展，绝不仅仅是教育自身的事。素质教育的发展、推进过程是整个社会文明水平的提高过程。同时，素质教育的不断深化，又成为促进全社会文明发展的动力和榜样。

第二，它倡导在教育中每个人都得到发展，而不是只注重一部分人，更不是只注重少数人的发展。每个人、每一位学生都能得到发展，不仅是民主的基本理念，而且是我们每个学生的基本权利，我们应该尊重这种权利，保护这种权利，创造条件实现这种权利。而应试教育却只能照顾到一部分人甚至是很少一部分人的发展，在很多情况下，多数人成了陪衬者。即使得到照顾的少数人的发展也是不全面的。这不仅违背教育平等的基本理念，而且从教育的效益来说，多数人的潜力未能得到较好的开发，也是极大的损失。

第三，素质教育倡导的是在教育中使每个学生都得到比较充分的全面的发展。全面发展一直是我们的教育方针，这是因为人的生命体本身蕴涵了多方面发展的潜能，全面发展是人发展自身的要求；社会生活的丰富多样性也要求人的全面发展，社会发展的程度越高，对人的全面发展的要求也就越高，马克思主义关于人的全面发展学说和当代社会日新月异高速发展的事实都充分证明了这一点。人的全面发展当然是一个不断接近的没有终点的目标，素质教育就是要求尽可能充分地实现这一目标。而应试教育虽然不是排斥全面发展，但确是把能否升学看得第一重要，把指定课程的得分看得第一重要。如果与升学分数关系不大、甚至指定的有限的课程和活动也经常被取消。同时，在应试教育的过程中，教师、学生的心理都不同程度地处于被动、消极、紧张甚至厌恶的状态，不能得到舒展自如的发展，这样，不用说全面发展，就连基本的心理健康水平也难以达到。

第四，素质教育倡导的是每个学生富有个性的发展。尽可能充分地全面发展是共性，是对所有学生的共同要求。但每个学生都有其个别性，不同的认知特征、不同的兴趣爱好、不同的欲望要求、不同的价值指向、不同的创造潜能，铸成了千差万别的每一个独特的学生。素质教育就是要求全面发展与个人特性发展的较好结合，既充分重视学生共性的发展，不但有统一标准，重视基础性，又有不同的评价方案，重视多样性。而应试教育强调统一性，不强调个别性，抹杀甚至扼杀个别性。学生的个性发展自然也就难以实现。缺乏个性对学生来说，是个人的不幸；对民族、对国家来说，缺乏丰富多样性，是民族、是国家的不幸。

可见，从20世纪末到21世纪初，把素质教育作为一种目标，作为一种方针，作为一种理想，引导教育的改革和发展，有着明显的时代意义和历史意义；同时，我们看到，素质教育超出了教育自身的范围，它需要广大教育工作者和全社会的共同支持和努力。

## 二、素质教育是一种价值

教育是什么？教育为什么？这是教育的基本问题，或者说是教育的本质问题。但在实际中，这一问题经常被转换成这样一个问题，或者说人们更关心的是这样一个问题：什么样的教育是好的教育？也就是说，人们更关心的是教育的价值问题，或者说它被落实在教育的价值上。

怎样一种教育才是好的教育？对教育的理解不同，对教育的理想不同，对这个问题的回答也就不同。比如在教育满足社会的需要与促进人自身发展的关系上，长远地说，这两者是统一的，但在每个具体历史阶段，却难免有矛盾。在这两者之间作何种选择，不同的教育思想就有了不同的价值倾向。强调前者的极端观点就是"社会本位"说，强调后者的极端观点就是"个人本位"说。

教育的价值观影响着教育的全过程和教育活动的各个方面，影响着教育目标的制定、课程的设置、内容的确定、方法的选择，影响着管理的风格、师生关系的类型，影响着学校与整个社会的关系。教育价值观可能被提升为一种理论，明确地支配一种教育的实施；也可能潜移默化地作用于教育工作者，有意无意地影响着教育的行为。

素质教育无疑是对应试教育价值观的否定和更新，是根据时代变化、社会发展的形势，提出的一种新的教育价值观。

首先，素质教育是强调以人为对象，以人自身的发展为目的的教育。在很长时间的古代教育和旧式教育中，受教育者被看成是一个接受现成观念和知识的容器，教师所采取的教育方式主要是恫吓与灌输，要求学生学习的方式主要是死记硬背。学生是不是学得主动、学得愉快，教育者并不很关心。这种教育方式与当时专制的政治制度和思想统治是相辅相成的。中国明代以后，科举制度演变成八股制度，思想的钳制与形式的僵化发展到极致。新中国成立以后，我们的政治制度和教育制度虽然发生了深刻的变化，但八股教育对我们教育的影响是深远的，应试教育中隐藏了许多八股教育的弊端。应试教育把分数和升学率看做是衡量教育成败的最重要的标准，实际上也是把学生看成是被动接受的容器，采用的教学方法基本上还是灌输与死记硬背；素质教育则是把学生看做能动的主体，根据学生的特点和需要，以学生的发展为本位。

需要说明的是，素质教育取代应试教育，并不是要取消升学和分数。分数和升学无疑体现了一部分重要的素质内容，但是素质不是以分数的高低和升学率的高低为评价标准，更不是以此为唯一评价标准。分数和升学是素质教育的自然结果，而不是它刻意追求的目标。

其次，素质教育强调学生有个性的发展。学生的有个性的发展是学生自身发展的落脚点和最终体现。现在人们经常把共性与个性作为一对矛盾相提并论，担心太强调个性的发展会妨碍基本知识、基本道德的形成。其实这里面有一种误解。如果一个学生只是有一些个人的特点，在某一两个方面比较突出，而在其他很多方面都比较欠缺，那是说不上有个性的发展的。在教育学中，人的个性是共性与个别性的结合。所谓学生的个性发展，其中已经包含了学生一般水平的发展和共同标准的达成。但素质教育不满足于每个人的一般的、共同的发展，而是根据人的千差万别的自然本性，鼓励并极力创造条件促进个性的发展。学校应该成为促进每个学生的特点、优势更加明显的场所，而不是把不同的人变成相同的人的场所。应试教育因为过于强调统一的标准和筛选淘汰，没有可能认真地去关心不同学生的个别性的发展，长此以往，逐渐形成了肯定共同性而否定个别性的价值倾向和人际态度。对于在共同性的竞争中处于不利地位的学生则不得不放松甚至放弃教育。而在素质教育中每位学生都受到同样的重视，学生不同的特点都受到尊重，并且主张在课程设置、教学形式、评价方式等各个方面为学生个性的发展创造条件。

再次，素质教育注重可接受性，更注重可发展性。20世纪60年代后期出现了终身教育的概念，到20世纪70年代便成为一种被普遍接受的教育观念。其根本的原因在于它反映了一种新的社会趋势和新的价值追求，即社会节奏加快，知识更新周期缩短，一次教育终身受益观念被打破的趋势和通过教育、并在教育中提高自己的生活质量和实现人生意义的价值追求。受教育既是手段又是目的，既是接受更是发展，教育不再是一个被动的短暂的消极接受过程，而是一个主动的、终身的积极发展过程，素质教育正是顺应了这样一种潮流，是面向未来的教育。它重视书本知识的积累，更重视现实生活能力的发展；重视接受性的学习，更重视独立的、创造性性格的养成。素质教育关心学生学什么和想什么，更关心他们怎样学和怎样想；关心他们当下的学习成绩和发展水平，更关心他们未来的学习能力和发展可能性。而应试教育基本上是一种"手段"教育，是以获得高分、升入高一级学校为目的的手段教育。学生的实际生活能力怎么样，独立性、创造性的程度怎么样，并没有特别的地位。事实上，统一性、标准性与独立性、创造性在应试教育中几乎是一个无法调和的矛盾。

最后，素质教育是指向大众主义的教育。近代以来，是英才教育还是大众教育一直是不同的教育理想和政策的根本分歧之一。21世纪以前甚至第二次世界大战以前，教育的主导价值观基本上是英才主义的。英才主义的教育观虽然并不一般的反对大众教育，但教育的评价体系、管理体系、财政体系基本上是有利于英才教育的，是以英才教育为中心的。受大众教育的人数虽然是大多数，但从总体上说，却是英才教育的配角，甚至是英才教育的牺牲品。但第二次世界大战以后，大众主义的教育观逐渐成为教育尤其是公立教育的主导价值观，大众教育成为教育的中心。大众主义教育虽然并不排斥英才教育，并且为英才的成长提供渠道，但在制定教育政策，安排教育财政时，不再将英才教育作为优先考虑的对象，而是以多数人的利益为考虑问题的出发点。应试教育虽然不一定是英才主义的教育，但基本上也是以英才为核心的，是为了英才和有利于英才的教育。

以学生为本位、以学生的个性发展为本位、以学生的可发展性为本位和以大众教育为本位的素质教育，是一种价值观的转变，也是一种思维方式的转变，是从单一价值观向多元价值观的转变。学生是千差万别的，社会的生活和社会的需要是千差万别的，而应试教育却恪守一种评判标准和选拔标准，这怎么能够引领中国教育面向现代化、面向世界、面向未来呢？

## 三、素质教育是一种境界

1964 年毛泽东曾在对一位中学校长反映当时学生负担过重的信的批示中，对教育提出过非常尖锐的批评：现在学校课程太多，对学生压力太大，讲授又不甚得法。考试方法以学生为敌人，举行突然袭击。这三项都是不利于培养青年们在德智体诸方面生动活泼地主动地得到发展。其实毛泽东在这里不仅是对课程多、讲授不甚得法和考试搞突然袭击的批评，而且也是对教育整个精神状态的不满。而课程多负担重的状态，填鸭式的讲授方法，以及师生对立的关系，在应试教育的情况下是无法消除的，甚至可以说它们是应试教育的必然产物。

素质教育是要创造这样一种境界，学生好学、爱学、乐学，教师喜教、爱教、乐教。学生学习的压力主要是学习内部的压力，而不是分数的压力、升学的压力；教师教学的压力主要是学生挑战的压力，而不是集体总分的压力、升学指标的压力。师生关系是平等的、朋友式的关系，是互通有无的关系，而不是"警察与小偷"式的紧张对立的关系。科学家们认为，在国际互联网的时代，个人与个人在知识上的差距，几乎可以忽略不计，人们在互联网面前永远是无知者。当互联网走进教室、走进家庭后，师生关系必将发生深刻的变革，那时（这并不是一个很长的时间，美国前总统克林顿提出的美国 10 年教育改革和发展的目标就是：8 岁学会阅读，12 岁学会使用互联网络，18 岁完成大学教育进入终身教育系统），师生关系的本质将发生变化，将变知识、经验、道德等的授受关系为朋友式的讨论关系，为社会角色间的交往关系。毫无疑问，能否适应这种趋势，能否达到这样一种境界，教师将首先受到严峻的挑战。

我们说素质教育是一种境界，是指素质教育是一种整体风貌，是一种完整人格的养成，而不是无数单个元素的相加。整体不等于部分之和。我们说的素质，其实就是日常生活中为人们所称道的素质，是一种心胸宽广、自强不息、乐观向上的气质；是一种自尊、自信、自谦、自持的精神；是一种关心人、关心社会、关心自然的情怀；是一种求实致远、质朴高雅的品位；是一种"富贵不能淫、贫贱不能移、威武不能屈"的人格。这样一种气质，这样一种精神，这样一种情怀，这样一种品位，这样一种人格，需要相应的教育境界的濡化，需要一种真诚、公正、平等、友爱的教育氛围才能养成。

## 四、素质教育的现实性与操作性

我们说素质教育是一种理想，是一种价值，是一种境界，并不是说素质教育只是一个空洞的口号，一个虚无缥缈的海市蜃楼。素质教育是根植在现实教育的泥土之中的，现实教育中早已经蕴藏了素质教育的先进思想和成功经验。从陶行知的"生活教育"、陈鹤琴的"活教育"，到当代的"爱的教育""非智力因素教育""成功教育""愉快教育""自主教育"等，都是对素质教育的成功探索。素质教育正是对这些思想和实践的概括和提升。

与把素质教育看做是一种空想相反，寄希望"毕其功于一役"，像搞一场运动一样，在短时间内就"完成"素质教育，也是不对的，这本身就是对素质教育的误解。素质教育既是一个目标，又是一个过程，是一个不断实践、不断探索、不断丰富的过程。

向素质教育转轨的改革是全方位的，但又是靠点点滴滴积累起来的。素质教育作为一种指向，它具有方向性和导向性，但它并没有、不应该也不可能有一个全国统一的模式。素质教育本身就是开放性的、多元取向的，它需要并且依赖于各地区、各学校根据本地、本校的历史和实际，发挥广大教育工作者的聪明才智和奉献精神，创造出丰富多彩的成功经验来。

## 五、消除对素质教育的几种误解

误解之一，把素质教育误解为非知识教育。在教育的各项工作中，由于掌握知识的情况是最容易测量的，所以在评定学生成绩时，往往最终是以知识甚至是以书本上的知识为主要测量内容，并以知识掌握的程度作为评判的标准。这是传统教育以教材为纽带、以知识传授为核心的主要原因之一。在升学竞争的情况下更是如此。这样的结果一是放松了学生发展的其他重要任务，一是形成了教与学的被动的死板的关系。所以素质教育倡导促进学生的全面发展，倡导主动的、生动活泼的教学风格。但是，素质教育绝不是不要或忽视知识教育，在科学急速发展、科技竞争愈演愈烈的形势下，知识教育、理性教育始终应是教育的基础。国外的"科学主义""技术主义"教育思潮把知识和理性教育放在首位自不必说，一切人文主义的教育思想家，从古希腊的苏格拉底，到在教育中"发现了人"的卢梭，再到当代人本主义的教育家罗杰斯、存在主义哲学家萨特，无不把知识和理性作为现代教育和完整人格的基础。素质教育不可能不重视知识和理性教育。当然，素质教育的知识观并不等同于以往的知识教育，它把在知识和理性教育的过程中，教和学的革命作为自己的深层任务。如果学校教育在知识和理性教育中不能贯彻素质教育思想，不重新确立师生关系和授受方式，素质教育也是不能真正贯彻的。

误解之二，把素质教育误认为非考试教育。考试是教育评价的基本手段，有两个基本功能，一个是在学习结束时检查学习者的学习情况，对学习者进行区分或筛选，这种考试称为终结性评价；一个是在学习过程中了解学习者的学习情况，了解各人的学习优点和缺点，以便反馈，同时可以帮助教师诊断自己教学的成败得失，以利改进，这称之为形成性评价。无论是考试的筛选功能还是诊断功能，在现阶段都是必要的。通过考试进行筛选虽然不是完美的方法，但到目前为止依然是较好的和公平的方法。把素质教育误认为非考试教育，甚至把素质教育与考试对立起来，非此即彼，是把素质教育大大窄化了。当然，素质教育有对现有的考试制度、考试内容、考试目的、考试形式等进行深刻变革的要求。在考试制度上，最迫切需要的是改革高考制度，改革全国统一的考试，改变一次性考试，实现考试制度的多元化和多次化；在考试内容上，在注重知识考查的同时，特别需要加强综合能力的考查；在考试的目的上，需要将考试的重点从终结性评价转向形成性评价，使考试主要服务于改善教育过程；在考试形式上，需要注意将标准性考试与开放性考试结合起来，使考试成为学生发挥主观能动性的舞台而不是消磨创造性的活动。

误解之三，把素质教育误认为非升学教育。片面追求升学率是我国以及亚洲许多国家的痼疾之一。素质教育提出的一个直接针对对象就是片面追求升学率。应试教育主要的就是片面追求升学率的教育。但是升学教育与片面追求升学率绝不是一回事。基础教育有两大基本任务，一是为升入高一级学校做准备，一是为就业做准备，二者不可偏废。作为普通基础教育，特别是普通高中教育，以升学为主要任务是毫无疑义的。尽管不能升入高一级学校的学生在这样的教育中有所损失和牺牲，但在社会主义初级阶段还不可能完全改变这种状况，而且通过升学培养和选拔人才是社会进步很有效的动力。由于有些人将素质教育误认为非升学教育，所以产生了"小学搞素质教育，中学搞应试教育"的怪现象。殊不知，年龄越大，年级越高，素质教育的内容越丰富，任务越繁重，意义也越重大。

误解之四，把素质教育局限于课外活动。把素质教育局限于课外活动，以为搞点琴棋书画就是素质教育，"课堂外搞素质教育，课堂内搞应试教育"是这种错误观点的典型表现。如果我们明确了素质教育不仅不忽视而且非常强调知识与理性教育，不仅不反对考试而且非常重视考试的运用和改革，不仅不反对升学而且非常重视升学的准备，那么，就自然会得出这样的结论：课堂内不仅要搞素质教育，而且课堂是素质教育的主阵地和主渠道。课堂教学是学校教育活动和学生学习、发展的基本途径，是学校工作的核心场所，提高课堂教学水平是提高教育质量的主要保证。我国目前的课堂教学既有巨大的开发潜力又是最迫切需要改革的环节。课堂教学能否充满活力、充满生机，能否充分调动学生学习的主动性和创造性，是教学改革成功的根本标志。许多教育改革的口号呼来唤去，可是要真正落实到课堂中去却是不容易的。正因为如此，素质教育的思想能否落实，能否促进学生的全面发展，促进学生个性的发展，最终依赖课堂教学的改革。

误解之五，素质教育有一种统一的标准模式。素质教育并不是什么人心血来潮的产物，它是全国教育改革许许多多成功经验的概括与提升；它又是一个发展的概念，不断从各地、各种类型的教育改革经验中得到丰富和扩展。因此素质教育从来没有一个标准模式，将来也不会有一个标准模式。它依赖教育者根据具体的教育对象、环境、内容采取相应的教育措施。素质教育是一种思想，是一种价值追求，是以学生的可持续发展为本位，以学生的个性发展为本位，以学生的创造性发展为本位，面向全体学生的教育。素质教育是一种理想，是一种无尽的追求，而不是一种模式，它是开放的、多元的，是每位教育工作者的智慧和热情激发出的一浪高过一浪的澎湃长河。

## 第二节　培养创新人才是素质教育的最高目标

### 一、知识经济呼唤创新人才

"当今世界，科学技术突飞猛进，知识经济已见端倪，国力竞争日趋激烈。当今世界的竞争，归根到底是综合国力的竞争，实质是知识总量、人才素质和科技实力的竞争。"科学技术的迅猛发展，对人才素质提出了新的要求。

首先，知识在数量上迅速膨胀对人的学习能力的要求。据联合国教科文组织所属的"世界科学技术情报系统"统计，20 世纪 80 年代以来，科学知识每年的增长率已达到 12.5%。另一方面，科研成果向技术转化的周期越来越短，新技术的老化周期不断加速，是知识膨胀的另一表现。19 世纪末的老化周期为 40 年，20 世纪 50 年代为 15 年，90 年代只有 3～4 年。知识的迅速增长和知识更新周期的不断缩短，要求我们把接受性的、积累性的学习转变为探索性的、发展性的学习。未来的学生是否具备自我学习、自我更新的能力，是否学会学习，比掌握知识本身更重要。

其次，知识在结构上的综合化对人才的综合能力的要求。知识、学科的发展，一方面在不断分化，一方面在不断综合。但从总体上说，是一种结构性的综合化趋势。像信息科学、生命科学、能源科学、地球科学、环境科学、材料科学、宇航科学、认知科学及脑科学已成为一批新的主流学科。此外是数学方法和电脑技术在所有学科的普遍运用。因此，注重学科的交叉，注重学科思维方法的培养，就远比具体学科详尽知识的学习更重要。

第三，知识在传播方式上的数字化对人才掌握信息技术的要求。数字化技术的发展，使得人类知识、信息的传播发生了深刻的变革，以前不敢想象的事变得非常容易。多媒体通信技术的数字化不仅可以传送文字，而且可以传送声音、图像、色彩甚至动态画面，集音、型、色、态于一体；数字化与电脑技术的结合，使得知识信息传播的容量、距离和速度同时惊人的提高，今天把全套 33 卷大英百科全书的内容通过信息网络从一地传送到另一地只需要 4.7 秒钟。数字化技术与信息高速公路的结合，使得人类相互间的交流不再受任何时间与空间的阻隔，不再受人数的限制。每次信息传播方式的革命，都导致了人类文明的加速发展，现代信息技术的革命，必将引起人类教育方式和学习方式的深刻革命。这就要求我们必须掌握现代信息技术，具备处理信息的能力。

第四，经济全球化对人才国际性的要求。信息传播技术的高速发展和信息对人的生活影响的扩大，使得经济全球化的趋势越来越明显。它不仅缩小着人类在科学、经济、金融方面的差异，而且缩小着人类在政治、文化语言、思想观念甚至生活情趣和审美情趣上的差异，缩小着教育目标、教育内容、教育对象、教育手段等的差异。以往的对立关系、竞争关系变成了合作关系，以往的分歧转化为共识；而以前没有或不重要的矛盾成为新的紧张热点。一个人如果不能融入新的国际关系，就将游离在国际社会之外，成为国际二等公民。这就提出了培养国际化人才的要求，即要有现代国际沟通的基本技能，比如外语、计算机，以及法律、金融等规范性的知识；要有现代国际观念，比如国际文化的认同观念，共同发展的观念，民主与和平的观念，国际权利与国际义务的观念，等等。

从学会知识到学会学习，从学会记忆到学会选择，从耳传口授到媒体革命，从国家观念到国际观念，这一切都形成了一个时代最强音：创新能力是现代人才素质的核心。在教育的制度化进程中，现代教育变相地成了文凭教育、应试教育。文凭教育注重的是系统化的知识、单一化的培养目标，标准化的学习内容以及规范化的筛选过程等。这与人才的创造性的发挥、与创造性人才的培养在价值倾向上是背离的，这与知识经济时代创造性地把握方向、选择方向的能力要求是背离的。时代向我们提出了这样的要求：教育需要以创新能力的培养为根本目的，以能否有效地培养创新能力为衡量教育成败的最高标准。

## 二、知识经济呼唤教育创新体系

知识经济正深刻地改变着世界，美国经济的发展，生动地说明了这一点。20 世纪七八十年代，美国经济曾进入过一个衰落期，世界综合竞争力的桂冠被日本摘走，世界第一出口大国的地位被德国夺得。80年代后期以后，美国下决心利用信息技术进行了深刻的结构性调整，以"星球大战"计划、信息高速公路等为纽带，引领美国进入了知识经济时代。用 10 年左右的时间，夺回了所有失落的经济头衔，并使美国占世界 GDP 的比重从 1988 年的 25% 上升到 1998 年的 27%。更重要的是，知识经济已经成为经济发展的主流，谁保持了知识经济的领先地位，就将无可争辩地处于全球经济的支配地位。

知识经济的本质在于知识的创造、传播和技术性转化成为经济发展的主要动力，知识成为生产力的核心要素。知识与经济相结合，首先是知识，而且是不断创新的知识，其次是将知识有效地转化为技术和经济效益的创新能力，是具有创新能力的人才。从这个意义上说，知识经济的成败取决于教育的成败，取决于教育能否有效地培养全民族的创新意识和创新能力。

我国的教育要适应知识经济时代的要求，为我国综合国力的不断增强提供保障，不更新陈旧的人才观念，不改革传统的办学目标和评价体系，不打破单一的教育体制，不革新落后的课堂与教学系统，不培养新型的师资队伍，是不行的。时代向我国教育的发展提出了整体的、创造性转换的要求，需要形成一个教育发展的创新体系。江泽民同志说："要树立全民族的创新意识，建立国家的创新体系……"教育的创新体系是国家创新体系的一个基础组成部分。

### 三、以创新能力为本位的社会人才观

未来社会综合国力的竞争，归根结底是知识创新的竞争，是创新人才的竞争，是教育能否有效地培养创新人才的竞争。为此，我们必须以新的人才观念审视我们的教育，确立新的教育培养目标。

杰出人才的创造性智慧对人类发展的重要性从来没有也不可能像今天这样显示得如此淋漓尽致，它可能影响一个产业，影响一个国家，甚至开辟人类的未来。比尔·盖茨在信息革命方面的贡献，不仅使他个人的财富不断增值，连续4年蝉联世界首富；不仅使建立仅20年的微软公司的市场价值超过了美国3大汽车公司的总和，而且更重要的是，他在信息、电脑技术方面的贡献，改变了人们对自然世界与人类世界关系的认识，改变了世界经济、产业的发展观念和就业结构，改变了并将继续改变着世界不同地区的人们在政治、经济、文化生活中的地位和关系。在知识经济时代，个人杰出创造性的发挥可能超过一个政府、一支军队、一场战争的作用。

这在以往历史的任何时期都是无法想象的。之所以能够发生这样的奇迹，是因为知识的创新和创造性的知识运用，使得生产力的发展进入了一个新的时代，进入了一种新的形态。它可以不依赖于原料、资金，使得经济的发展具有低成本性、迅速的扩展性、跨国性和广泛的影响性。杰出人才创造能量的超常释放，在知识经济时代的表现，颇有些像原子能之于传统能源的表现。这是一个需要杰出创造性人才也产生了杰出创造性人才的历史时代。社会应以这样的人才为骄傲，为这样的人才

脱颖而出创造条件。

## 四、以创造性应变能力为本位的个体人才观

杰出创造性人才的出现是我们所希望的，但我们又不能寄希望于这样的人才。更现实的则是对全民族创新意识和创新能力的培养，是促进所有个体创造性能量的充分释放。

是以接受性教育为本位，还是以创造性教育为本位？这基于我们对世界特征和世界变化的看法。传统社会对世界特征的看法是单一的，认为世界变化是缓慢的。人们相信，任何问题都有唯一的答案，任何事情都有一个最好的处理方法，因此教育的功能就在于使人们习得和模仿被经验证明为唯一正确的答案和最好的处理方式，主要是一种接受式的教育；由于经验积累、知识增长的缓慢性，人们相信教育的作用是持久的，"一次教育，终身受用"是人们的普遍信念。与这种信念相对应，教育主要是道德规范和"确定的知识"的教育。而现代科技的发展、现代信息革命的发生，从根本上动摇了以往人们对世界特征和世界变化的看法，单一性被多元化所取代，缓慢的变化被急剧的变化所取代，教授和学生、长者和年轻人、雇主和雇员经常面对着同样的新问题，同样是没有"最好答案"的情景；最好的处理事情的方式没有或即使有也不值得寻找。大家共同面对着不断变化的、时刻向我们提出新的挑战的环境。能否富有创造性地予以应对，决定了他是处于社会的有利地位还是不利地位。所以对个体来说，在知识经济时代，最重要的素质是创造性地应对多元的、不断变化着的环境的能力。

高质量是所有学校追求的目标。可是，什么是教育质量？这个似乎很明白的概念越追问，越觉不明白。事实上不同的质量观、不同的人才观，对这个问题有不同的回答。

教育质量＝学业成绩＝考试分数

这是很多人心目中的定义和很多学校追求的目标。但是，这一观点

正越来越受到理论的和社会实践的严峻挑战。从理论上说，教育质量、学业成绩、考试分数是一个外延逐渐缩小的同心圆，拿这样的质量观来指导教育，势必会忽视甚至放弃受教育对象的全面发展。从社会的实践看，高分与人才成长并没有简单的正相关。社会实践的事实告诉我们，考分最高的学生在中学或大学毕业的若干年后，大部分并没有获得人们所期望的成就，而活跃在政界、军界、商界、企业界、艺术界的领袖绝大部分并不是考试分数最高的学生，相反，他们往往是徘徊在第 10 名上下的学生。有人把这种情况称之为"第 10 名现象"。美国的一项大规模调查也表明，学生时代的考试成绩与未来的成就除了与"学术研究"成正相关以外，与其他各类人才的成长均无明显相关。

那么，人才成长相关性最高的因素是什么呢？通过对取得卓越成就的人的调查，通过对家长的调查，这些人中有高学历者，也有文盲，不同的人对这个问题的回答差不多是一致的：创造性的社会适应能力。

现在，社会的开放程度和多元化程度越来越高，变化的速度和国际一体化的进程越来越快。在社会生活中，在国际竞争的舞台上，个人也好，民族也好，能不能适应这个世界的变化，能不能积极地、创造性地适应这个世界的变化，决定着一个人和一个民族的未来。

200 年以前的漫长历史中，教育追求的是儒雅、道德或骑士风度。在那时，世界是隔绝的，教育与社会生产是分离的，个人的成就和地位取决于父辈的地位，教育是少数人垄断的奢侈品；200 年以后逐渐兴起的工业革命，赋予教育以新的使命，有效地传授知识和技术成为大众教育追求的根本目标；20 世纪以后，社会流动的加快和人的主体价值的高扬，使得个性发展成为最诱人的字眼。

知识经济（或网络经济、新经济）把经济推向了一个新形态，把人类推进了一个新时代。知识经济是高科技的经济，也是道德经济，是创新经济，是全球化的经济。在这样的经济面前，需要知识，更需要灵活地综合运用知识的能力；需要个人奋斗的勇气，更需要集体协作的精神；需要精确的数字，更需要创新的意识。这些，构成了创造性社会适应能力的核心要素。培养创造性的社会适应能力正成为知识经济时代崇尚的新教育质量观。

## 五、重新审视教育的培养目标

古代社会，统治阶级总是假借天道之名施行统治之道，并总是希望教育能够起到传播这种道统的作用或功能，古代中国尤其如此。"天命之谓性，率性之谓道，修道之谓教"，希望教育起到"建国君民""化民成俗"的作用。中古以后，中国的教化教育与政治选士制度结合起来，形成了中国的科举制度。从内容上说，科举制度以《四书》《五经》作为教育的蓝本；从形式上说，科举制度强调被动接受；从要求上说则是死记硬背。明代以后的"八股文"更是将思想活动和表达方式格式化，很难有根本性的创新。事实上，当时的社会不需要甚至痛恨创新。

近代以来，社会改变了因袭的传统，走上了专家治国、能人治国的道路，教育也纳入了培养能人的轨道。反过来，教育的文凭则成了能人的标志。随着教育的制度化进程，能人教育变相地成了文凭教育。而文凭教育注重的是系统化的知识、单一化的培养目标，标准化的学习内容以及规范化的筛选过程等。这与人才的创造性的发挥、与创造性人才的培养在价值倾向上是背离的，这与知识经济时代创造性地把握方向、选择方向的能力要求是背离的。

从个体的角度说，传统教育注重的是对知识的摄入，强调的是掌握知识的数量，而现在知识的急剧增长，知识传播手段的现代化，特别是信息互联网络的日益普及化，使得对知识的掌握从以摄入为主转向了以对知识的分析、判断、选择和创造性地运用为主，否则，人可能成为信息和知识的奴隶。

时代向我们提出了这样的要求：教育需要以创新能力的培养为目的，以能否有效地培养创新能力为衡量教育成败的最高标准。

毫无疑问，我们所说的创新人才是具备有文化、有道德、有理想、有纪律基本素质的创新人才，具有"三个面向"的精神和"四有"素质，是创新人才的基础，创新精神、创新能力是基本素质基础上的提高和发展。

## 第三节　教育制度的创新

"科技和经济的大发展，人才是最关键、最根本的因素。实现现代化，必须靠知识，靠人才。要在全社会形成尊重知识、尊重人才的浓厚风气，建立有利于人才成长和脱颖而出的机制。要广开进贤之路，善于发现人才，团结人才，使用人才。……要进一步贯彻'双百'方针，创造民主、宽松的学术环境，保护知识产权，允许和鼓励技术等生产要素参与收益分配，形成一整套有利于人才培养和使用的激励机制，以充分调动广大知识分子的积极性和创造性。"[①] 江泽民同志的这一段讲话一再强调了为创新人才的成长提供制度保障的重要性。随着人才观、教育目的观的转变，势必要改革以往的教育制度，创造新的教育制度。

### 一、为创新人才的脱颖而出开辟道路

第一，实现多元化的高考制度。

我国的教育始终被片面追求升学率的问题所困扰。学生和教师都被有限的书本知识耗尽了精力，发展畸形，厌学情绪蔓延。独立性、创造性无法得到发展。长期以来，我们一直希望通过统一的、行政的办法来解决这一问题，但始终收效甚微。究其原因根子依然是单一的高考形式、单一的考试标准使然。不改变目前的单一高考模式，纵然使出浑身

---

① 刘磊，刘思扬，陈维扬. 江泽民、李瑞环同政协科技界委员座谈 [N]. 人民日报，1998 - 03 - 05.

解数，也是治标不治本。建立多元化的高考制度，即多种标准、多种形式、多种时间、多种机会的高考模式，才能从根本上摆脱应试教育的状况。从考试的主体说，考试、录取的主体不再是一个，不是仅有教育部，而是多元结合的。具备相应资格的高校，某一高校或某一类型的高校也可直接接受考生的报名，根据自身的培养目标、专业要求、学术风格组织单独的或联合的考试；从考生说，可以从自己的特长和爱好出发，选考能够发挥自己所长的学校和专业，可以同时报考多所学校，改变"一次考试定终身"的状况；从考试的准备说，不必再去猜题、押题，而是注重综合素质的培养，以不变应万变。教育行政部门的职能不再是直接命题和组织考试，而是转向对基本标准的确定、考试质量的评价、考试过程的监督等。

第二，建立弹性教育制度。

教育的制度化是教育发展到成熟水平的标志，但教育制度化的程度越高，它的负面影响也就越明显，因为教育的制度化与教育的标准化是相辅相成的，包括教育的筛选标准、内容标准、评价标准都是一致的。这对于促进教育的大众化和提高教育效率起到了重要的历史作用。但是，标准化往往等同于平均化，甚至平庸化。人的才能和潜力并不是各种因素的简单相加，我们现在还没有一套能够突破平均化的人才标准和选拔标准。为此，我们就特别需要增加教育制度的弹性，让具有各种特别才能的人有充分的发展机会。比如跳级制、"三明治"学制（即工作一段时间再回到学校来）、真正的学分制、超常成绩的加权学分折算制（即超常成绩可以折算更多的学分）、校际协作交流制等。

第三，不拘一格的人才标准。

创造性，特别是具有突破性的创造性往往具有非常规的特点，带有与众不同的个性。对于这种特别性的意义我们往往认识不清，我们已经习惯于用经验中熟悉的眼光看待所有人的行为方式，大凡超出我们经验范畴的行为方式，常常被视为"怪异"，加以忽视甚至加以扼杀。更为矛盾的是，这种与众不同的个性往往与既成的制度相冲突，在我们现有的教育制度中没有这种个性能够生长的环境。所以我们需要建立一种特别制度，给予被认为有超常发展潜力的学生一种特别的权利和机会，也就是在经过一种认证的程序后，被认为具有超常发展潜力的学生可以不受现有制度的束缚，走出一条特殊发展的道路。

第四，建立以人为本的教育管理目标。

管理的目的本来是为了把事情做得更好，为了减少混乱，提高工作效率，为管理对象提供更好的服务。但是事实经常相反，一旦管理规章建立以后，管理者就会要求事情服从管理规章，要求管理对象服务于管理者。管理者为了避免麻烦，而把超出常规的需要拒之门外。这样，本来是为了人的管理变成了人为了管理。在这其中，最受伤害的就是人的创新能力。所以怎样建立一种以人为本的管理制度，管理根据人的发展的需要、根据事情发展的需要做出灵活的调整，是急需探索的。

## 二、为创新能力的培养营造氛围

第一，为个性发展提供广阔空间的校园文化。

如同平庸蕴涵于标准化之中一样，创造性蕴涵于个性之中。个性的发展离不开他所生活的环境，个性是在与他的生活环境相互刺激的过程中形成的。环境如果不断刺激一个人做出主动的、独特的反应，为他提供个性发展的机会，他的个性自然会得到较为充分的发展。反之，如果环境总是对个体富有个性的、独创性的表现做出否定的反应，一个人的个性自然被迫收敛，甚至被完全磨灭。要创造一个整洁的校园环境、标准的行为规范、一致的体操动作、统一的穿着服装并不难，难的是整洁当中有变化，标准当中有自由，一致当中有特色，统一当中有个性。一个好的校园环境应该是鼓励人们标新立异、有利于人们自由表现的宽松的文化氛围。

第二，民主的师生关系。

师生关系是影响学生成长非常重要的因素，也是与创新能力的培养息息相关的问题。传统教育的师生关系是一种不平等的人格关系，教师不仅是教学过程的控制者、教学活动的组织者、教学内容的制定者和学生成绩的评判者，而且是真理的化身和绝对的权威。在教学中，教师是主动者，是支配者，而学生是被动者，是服从者。教师、学生、家长以至全社会都有一种潜意识：学生应该服从教师，听话的学生才是好学生；教师应该管住学生，不能管住学生的教师不是好教师。师生之间不能在平等的水平上交流意见，甚至不在平等的水平上探讨科学知识。在这样的师生关系下，不要说学生的创新能力不可能得到良好的发展，甚至正常的人格也难以得到健康发展。

这种传统的师生关系在中国有很长的历史。自古以来我们把天、地、君、亲、师并列。我们知道，君臣关系、父子关系是中国历史上的基本伦理关系，是中国等级制度的基本框架。把教师与君、亲并列，学生自然也就处在臣、子的位置上。师生关系也就成了君臣、父子关系在学校中的推演。为了维护这种等级关系，必然要强调教师的绝对权威和威严。所以早在两千多年前的《学记》中就强调："师严乃道尊。"这种定位进一步强化了教师的正确性和支配性，强化了学生的接受性和服从性。在这样的师生关系下，创新能力是不可能有重要地位的。

要有效地培养学生的创新能力，就必须极大地改善师生关系，充分尊重学生的思想（意见）、情感（体验）、意志（欲望）和行为方式，使学生能在轻松愉快的气氛下表现自己，表达自己的思想和情感。一个优秀的教师应该是这样的教师：能够营造一种生动活泼的教学气氛，使学生形成探求创新的心理愿望和性格特征，形成一种以创新的精神吸取知识、运用知识的性格，且帮助学生能够创造性地应对环境的变化。

# 第四节　知识教学的革命

是否重视创新能力的培养，是传统教育与现代教育的根本区别之一。传统教育是以教学内容的稳定性和单一性为基本出发点，以知识的记忆和复现为基本目标的。它强调的是掌握知识的数量和掌握的精确性，强调的是对已有知识的记忆。传统的知识观把知识看成是一成不变的真理，相信它不仅能够解释过去，而且能够支配未来。对于知识性质的这种理解，决定了传统的教育把掌握知识本身作为教学的目的，把教学过程理解为主要是知识的积累过程，以知识掌握的数量和精确性作为评价的标准，并形成了教师讲、学生听的教学模式，形成了学生的学习以模仿、操练和背诵为主要特征的学习方式。在这样的教学过程中，教师只是对教材和教案负责，学生只是满足于完成考卷和获得标准答案。创新能力的培养没有也不可能得到足够的重视。

几乎所有的词典、百科全书中，知识都被解释为是经验的积累，是对事实、规则等的认识，简单地说，就是对确定事实的描述。并且形成了对知识的一系列基本信念，相信知识是确定的、唯一的、静止的。因此，人们把掌握知识就理解为对大量经验、定义、事实的记忆，并且根据过去的经验判断我们今天的选择是否正确，拿统一的标准判断我们的答案是否正确。加上中国的传统教育是伦理型教育，强调知与行的统一性，当现代科学被引进中国的时候，只注重了科学的功用价值，只强调了科学的概念系统，忽视了科学发展的思维特征，忽视了科学进步的批判精神，导致了知识学习与思维发展的分离，导致了用伦理道德的习得方式和教学方式替代科学知识的习得方式和教学方式，在教学中强调的是记忆、模仿和大量的操练；教师的教学方法是以讲授、灌输为主，形成了教师对学生的权威性，学生对教师的依赖性。学生与生俱来的独立性、怀疑性和创造性，在教学中不但得不到尊重和发展，而且被销蚀得越来越少。

然而，知识是怎么产生的呢？知识不是天上掉下来的，也不是人的头脑里固有的。知识作为人们社会实践的经验总结，作为若干事实、概念、准则的系统，总之作为人们认识活动的结果，确实反映了知识的某些本质特征，或者说，反映了从一个维度对知识的认识，即从静态的维度对知识的看法。但从动态的维度看待知识，知识是认识的结果，更是认识的过程，是探索知识形成的过程；知识是事实、概念的系统描述，更是获得知识的方法。如果忽视了这一点，人为地把事实、规则与获得这些事实和规则的方法分开，则是舍本逐末、弃重取轻。在知识增长日新月异、试图拥有所有知识已经完全没有可能的今天，怎样取得知识，包括怎样选择知识，无疑比拥有具体知识更为重要。根据这样的知识观，教学便不再强调把确定的事实、系统的概念当做是目的，而是更强调它们的手段意义，即把事实、概念、规则的教学作为认识事物的本质、训练思维能力、掌握学习方法的手段。在教学中强调的是"发现"知识的过程，强调的是独立解决问题的能力和主动探究的精神。在这样的教学过程中，学生经常面对的是不知道结果的情景，是没有统一答案的问题，教师的教学方法是以提问和启发为主，师生关系是探究真理的伙伴关系、解决难题的合作关系。

从静态的维度看，知识是认识的结果，是经验的系统；从动态的维度看，知识是认识的过程，是求知的方法；而从人类对知识的探索心路历程看，从主客观相统一的维度看，知识则是一种态度，是人对不断变化着的万事万物的态度。知识增长和变化的加速发展，使人们越来越认识到，知识是事实、经验的系统，更是对这种知识的分析、判断、选择和运用，知识在本质上并不是不变的真理，而是不断更新或扩展的过程。科学等于真理、知识等于可靠的观念不但是陈旧的，而且是危险的。现代科学哲学告诉我们，知识的进步是积累的过程，更是革命性变革的结果。在前面的内容中我们已经提供了很多这方面的例子。以这样的观点看问题，掌握知识是为了更新知识，掌握规则是为了突破规则，教学的根本目的在于促进学生获得对知识的深刻认识，形成面向未来的态度，在于培养学生的创新能力。

要实现适应培养创新能力需要的知识教学的革命，首先要有具备创新意识和创新精神的教师。所以，迅速提高我国教师队伍的素质，特别是提高教师自我更新和积极创新的品质，是非常现实的任务。

## 讨论题：

1. 你怎样理解素质教育是一种价值，是一种理想，更是一种境界？
2. 你怎样理解素质教育的思想性与可操作性相一致？
3. 你怎样理解素质教育的最高目标是培养创新人才？

# 5

## 对理想教育的追求

一切教育都是理想的教育，
都是为了理想、追求理想的教育。

——作者自题

### 第一节　教育的理想和理想的教育

教育是什么？教育为了什么？对这个问题从不同的角度可以有不同的回答。

从教育的指向性来说，教育是一项充满期望的活动，教育是一项理想的事业。任何民族、任何文化的上一代人向下一代人传授的知识、技能、思想、观念、信念，都是上代人认为值得和应该传递给下一代人的，都是确信对下代人是好的、有用的。并且或多或少包含着他们对世界发展的理解和预测，也就是说，认为对下代人不仅当下是有用的，而且对他们将来也是有用的。不管是智者，还是文盲；不管是远古的祖先，还是文明的今人，都是如此。任何最急功近利的教育主张，都不可能完全没有理想的成分。从这个意义上说，任何关于教育的谈论，都或多或少地是在谈论教育的理想。当这种谈论成为一种观念、成为一个系统的时候，就成为教育思想、教育理论；当这种谈论成为一种官方意志的时候，就成为教育的方针、教育政策或法令。因此，我们常常把教育思想和教育政策看成是不相干的两件事，其实是不符合事实的。教育理想的变化过程，其实就是教育思想、教育政策、教育舆论相互影响、相互拉扯、相互支持或相互抵消的过程。

教育的理想是任何一个实际上从事着教育工作的人所必然具有的，不过有些人比较自觉地意识到这一点，有些人不能够自觉地意识到这一点。当一位家长对他（她）的孩子说"你不要跟隔壁的孩子玩，不要跟他学坏了"的时候，其实已经包含了他对隔壁孩子行为的评价，甚至表达了他（她）对隔壁孩子家长教育态度的评价。而这种评价显然是以他（她）认为好的教育做标准的。当一位高三的学生问物理教师宇宙大爆炸是怎么回事时，这位教师回答说："你抓紧复习功课，知道宇宙大爆炸能给你高考加分吗？"这里可能是教师避免窘困的语言策略，但更可能隐含了这位教师对他的教育使命、教育任务的看法。正如德国哲学家雅斯贝尔斯所说：

> 教育须有信仰，没有信仰就不成其为教育，而只是教学的技术而已。教育的目的在于让自己清楚当下的教育本质和自己的意志，除此以外，是找不到教育的宗旨的。因此我们常听到的一些教育口号并没能把握到教育的真正本质，诸如学习一技之长、增强能力、增广见闻、培养气质和爱国意识、独立的能力、表达能力、塑造个性、创造一个共同的文化意识，等等。①

根据这样的观点，看"教育是什么"这样一个教育理论最基本问

---

① 雅斯贝尔斯. 什么是教育［M］. 邹进，译. 北京：生活·读书·新知三联书店，1991：44.

题的时候，就成了"教育的理想是什么"的问题。① 我们不想让自己纠缠于烦琐的概念讨论，也隐含着我们对教育理论研究的理想：立足现实，面向未来。我们相信，任何关于教育历史、教育思想的客观叙述，都不可能是真正客观的，它无法摆脱叙述者的知识背景和思想感情，无法回避作者的价值追求。② 所以可以说，当人们讨论教育是什么的时候，往往是在谈论他们希望教育是什么样的。

教育应该是什么样的，什么样的教育才是好教育，自古以来，这就是一个仁者见仁，智者见智的问题——传授知识，传播思想？训练思维，启迪智慧？陶冶性情，发展个性？……由于对社会、对人性理解的不同，由于所处的社会地位和生活经历的不同，由于价值观和看问题方式的不同，对这个问题就可能有不同的回答。纵观历史，我们把关于教育理想的种种思想、思潮归纳为社会理想主义、科学主义和人文主义三种教育观，分别阐明它们的性质、特点和论点，以期引起我们的思考，提高我们的思想水平和分析问题的水平，得出我们自己的结论。

## 第二节　社会理想主义的教育观

社会理想主义的教育观肯定社会既成的思想、制度、道德的合理性和优越性，认为教育的使命主要就是继承社会的传统，使人在思想、道德、品行等方面尽快地社会化。

---

① 据统计，关于教育这一概念的表述，从英国思想家培根到联合国教科文组织的重要文献《学会生存》，在所能接触到的文献范围内，就有65种之多。见陈桂生. 教育原理：第2版［M］. 上海：华东师范大学出版社，1999：177. 关于教育是什么的概念辨析，请参看有关教育学史的著作.

② 当然我们不希望产生这样的误解，以为对历史的回顾和叙述是可以随心所欲的，历史是任人打扮的少女. 我们想要说明的是，纯粹客观的叙述是不可能的，也不是我们所要做的. 我们叙述历史并不回避寄予某种期望，倡导某种主张.

## 一、修道之为教——以孔子为代表的东方社会理想主义教育观

"天命之谓性，率性之谓道，修道之谓教。"（《中庸》）

《中庸》开宗明义，指明了教育的特性，阐明了儒家对教育的理解，也是规定了教育的任务：天赋予人以自然特性，遵循这种特性才是正确的道路，克制自己，遵循正确的道路就是教。在这方面圣人已为我们树立了榜样，按圣人之行行之，凡人也可以走向仁人君子的境界。

"四书"的另一重要作品《大学》开篇说道："大学之道，在明明德，在新民，在止于至善"。所谓至善，就是格物、致知、诚意、正心、修身、齐家、治国、平天下。这与《中庸》是形神具通的呼应。

朱熹在《大学》的序言中说："大学之书，古之大学所以教人之法也。盖自天降生民，则既莫不与之以仁义礼智之性矣。然其气质之禀或不能齐，是以不能皆有以知其性之所有而全之也。"是因为出了伏羲、神农、黄帝、尧舜这些圣人，出现了学校，教小孩子洒扫应对进退之节，礼、乐、射、御、书、数之文，对于成人，则教之以穷理正心修己治人之道。但周朝以后，开始衰败，学校之政不修，教化陵夷，风俗颓败。出了圣人孔子，才取先王之法，重修教义。"若吾夫子，则虽不得其位（没有成为君王），而所以继往圣、开来学，其功反有贤于尧舜者。"①

"四书"在中国历史上有着极其重要的影响，"四书"揭示了教育的目的、途径和方法，同时"四书"本身又是教育的基本内容、基本教材。

中国儒家文化是一个社会本位、伦理本位和教育本位三位一体的文

---

① 朱熹·中庸. 序言.

化。社会本位讲的是人的本性在于人的群体性，离开了群体的个人在儒家文化中便没有意义。儒家文化的核心是仁，据统计这个词在《论语》中是出现频率最高的一个词。而仁即人，《中庸》中说："仁者，人也。""仁"，《说文解字》里说，从二从人，即是说，只有两个人以上才有仁。这里的二人当然不是确数，而是说人只有在群体中才有仁的问题。仁是社会的一种理想境界，也是一个人的最高境界。它既是一种规范，一种关系，一种舆论，也是一种观念，一种品行，一种行为。离开了人群再谈仁便没有意义。

伦理本位讲的是，仁是通过对人在群体中的伦理要求实现的，也是通过个人在群体中的伦理品性来体现的。"天下之达道五，所以行之者三：曰君臣也，父子也，夫妇也，昆弟也，朋友之交也。五者天下之达道也。知、仁、勇三者，天下之达德也，所以行之者一也。"① 社会与个人、政治权威与个体服从是通过伦理道德联结起来的。孔子讲克己复礼为仁，朱熹讲存天理、灭人欲，都是一种政治的道德化。君君、臣臣、父父、子子，君仁、臣忠、父慈、子孝，对上讲的是"德政"，对下讲的是"忠顺"。政治的等级、规范是渗透于日常伦理之中的，每个人在伦理网络系统中确定了自己的位置和言行，从而达到和谐和安宁。国家的政治伦理化，家庭的伦理也政治化。

教育本位讲的是，教育既是达成这一目标的手段，也是这一过程本身。教育的首要目的和中心任务就是实现这一目标。儒家对伦理观念和社会关系的形成，不主张通过强行的法制，也不主张通过外在利益的驱使，而是主张通过内心的认知、感悟和内化认同这一目标，变成自己的自觉行为。如此，教育自然是最好的途径了。

"化民成俗，其必由学"，"建国君民，教学为先"。（《学记》）

（夏商周）"三代学则共之，皆所以明人伦也"。（《孟子·滕文公章句》）

---

① 朱熹·中庸.

在中国，社会、伦理、教育，是高度同构的。

当代，我们强调"学校的一切工作都是为了转变学生的思想"，这显然也是一种希望，一种指向。可以说它是社会理想主义教育观的历史传承。

教育的活动首先是教师和学生的双边活动，三位一体的教化观必然生动地反映在师生关系中。社会的群体与个体的关系在学校的师生关系中必然有同样的体现。在儒家传统中，教师绝不仅仅是知识的传授者，还是精神的引导者，教师不仅要授业，更要传道；教师的责任不仅是教书，而且要育人。教师的自我约束和自我反省有些类似于西方的牧师。另一方面，学生对教师的尊重，不仅有尊重知识传授者的含义，更有尊重道统的含义。在某种程度上，教师就是道的化身。所以"师严乃道尊"。学生对教师的顺从，具有大臣之于君王、儿子之于父亲的性质。或者说，师生关系是君臣关系、父子关系在学校的延伸，是整个道德网络中的一种组合。当然我们也有"师不必贤于弟子""弟子不必不如师"的传统，但总体上教师与学生的关系是伦理上的关系，而不是知识授受上的关系。

教育目的需要有相配合的教育内容。适应于这种教育目的，逐渐形成了不分年龄、不分水平层次的教育内容——"四书""五经"，并且千年不变。这些内容不仅是学习的对象，考试的标准，而且是人生的指南。学习这些内容，不仅要熟读这些内容，记住这些内容，而且要接受其中的思想，遵守产生这些思想的思维方法，形成相应的道德规范和行为方式。

根据这种教育目的和教育内容的要求，"做"——实践，要比对内容的理解更重要。知行结合、强调力行是中国教育方法的最大特点。孔子最早就提出了"行有余力，则以学文"的程序，把"行"看得比"学文"更重要。"子曰：好学近乎知，力行近乎仁，知耻近乎勇。"[1]

---

① 朱熹·中庸.

你只要努力去做，仁就在其中了。知行关系是中国哲学中特别重要、也是探讨特别生动的一个哲学领域。朱熹在知行关系问题上是比较重知的，强调"知先行后"。但尽管如此，教育和学习的落脚点也是在行上："博学之，审问之，明辨之，慎思之，笃行之"被称为朱熹五步学习法，学得怎么样，最后还是看你是否能坚定不移地去做。

明代的王阳明发展了知行学说，提出了知行合一的主张，将知行关系做了简洁的中国式的表述，并对我国的教育传统产生了深刻的影响："知是行的主意，行是知的工夫，知是行之始，行是知之成。"①

在世界上公认的中国教育家首推孔子，他构建了社会、伦理、教育三位一体的思想体系和操作体系，建立了以伦理道德治国的政治理想，建立了道德至上的教育理念，也建立了力行近乎仁的行动策略。中国第二位受到世界公认的教育家也许可推陶行知了，他提出了"通过四通八达的教育，建立四通八达的民主社会"的理想，揭示了道德至上的教育真谛："千教万教教人求真，千做万做学做真人"。显然这里"求真"的"真"与"真人"的"真"不是科学上的真，而是道德意义的概念。虽然陶行知的"真"与孔子的"仁"在内容上大相径庭，但在道德目标的追求上，在教育的理念上则是一脉相承的。同样，陶行知强调"在做上教，在做上学，教学做合一"，甚至他比王阳明更强调行的重要性。在青年时期陶行知非常崇尚王阳明的知行学说，把"知是行之始，行是知之成"这一名言写成对联挂在中堂上，把自己的名字也改成陶知行。可是他后来越来越觉得很多事情等知道了、理解了再做，太消极了，很多事情你做了才会知道。于是他把王阳明的名言做了一个颠倒：行是知之始，知是行之成，并且把自己的名字改成了陶行知。把知行关系又推进了一步。

社会理想主义的教育观从目的到内容到方法，具有内在的逻辑联系。因为伦理观念、伦理原则是否成为个人的道德行为，仅仅知道、理

---

① 王阳明·传习录一.

解是不够的，必须成为思想感情和自觉行为。我们可以把这种知行合一、以知促行、以行观知、重在于行的教育模式称为"践行模式"。

　　1905年废科举，兴学堂，开始引进和学习现代科学知识，社会理想主义教育观受到了现代科学教育的挑战。有识之士强烈呼吁革故鼎新，以科学教育取代伦理教育。可是由于对科学进步的长期隔膜，也由于救亡图存的迫切历史要求，我们接受科学概念的时候，一开始就过于注重了科学的功利性、技术性方面，而对科学的精神性、理性方面注意不够。科学知识并不是孤立的成果，它是科学文化的产物。孤立地引进科学知识，是不可能建立真正的科学教育的。由于早先我们对此缺乏足够的认识，还是沿用了道德教育的方法来进行科学的教育，用道德知识的性质替代了科学知识的性质，强调了知识的正确性、标准性，重视的是知识学习的结果，忽视了科学知识内在的方法、态度、精神，忽视了科学知识学习的过程。所以，中国的知识教育具有一些自身的特点：第一，知识是预设的，而非主体发现的，也就是认为知识都是学习的对象，都是天然已有的，而不是自己参与发展的过程；第二，所传授的知识被认为都是正确的，学习者只是消极接受；第三，人格化的，即把知识和人品联系在一起。这些特点决定了知识教育具有相应的特征：第一，重结果甚于重过程。其实，所有后续的知识都是在前有知识的基础上发展起来的，所有知识都是不断推陈出新的，因此知识过程的教育在现代教育中有重要的地位；第二，重标准答案甚于重智慧开发，所有习题都有标准答案。其实，所有现象的答案都有可能有多种答案和多种解决方法，因此开放性的思维在变化越来越快的社会中的意义越显重要；第三，教育者对知识重要性的看法在教育过程中的作用，超过了市场、社会的需要。教学知识的选择根据什么原则？它本来是学科需要、社会需要、个体选择在现代社会中互动的结果，而我们却过于学科化，学科专家化，忽视了知识选择和编排的个体（心理）需要和敏锐反映社会差异与社会变化的需要。

## 二、培养哲学王——以柏拉图为代表的西方社会理想主义教育观

社会理想主义并不是只在东方具有重要的影响和表现，在西方，从柏拉图的理想国开始，到法国涂尔干的社会化说、美国帕森斯的社会角色说，同样具有社会理想主义的明显倾向。

柏拉图是西方教育史上首先指出教育具有重大政治意义的古希腊哲学家，柏拉图最著名的作品是《理想国》（又译《国家篇》）。在这部作品中柏拉图阐明了他的政治理想。他认为，迄今存在过的政治制度有权力政治、寡头政治、民主政治和僭主政治，它们都不够理想，这些政体由于各自的缺点，它们经常相互过渡。他试图建立一种理想的政体，企图退回到古代贤王治国的原始状态。柏拉图一开始就认为，公民应该分为三个阶级：普通人、士兵和卫国者。他认为，普通人是受情欲驱使的，士兵是受意志支配的，只有卫国者是以理性、智慧行事的，这些人是哲学家，他们虽然是少数，但他们应该成为国家的统治者：

> 除非哲学家就是王，或者这个世界上的王和君主都具有哲学的精神和力量，使政治的伟大和智慧合而为一，并把那些只追求两者之一而不顾另一的平庸的人们驱逐到一旁去；否则城邦就绝不会免于灾难而得到安宁。①

要培养哲学王，必须有整套的教育制度，从体育、音乐到数学的学习，最后进入哲学的思辨。柏拉图提出，哲学家的最高任务是要认识"善的理念"，在太阳光照耀下，人的视觉才能认识对象，同样，只有在善的理念光照下，人的理性才能认识真正的存在理念。柏拉图把苏格

---

① 罗素. 西方哲学史［M］. 何兆武，李约瑟，译. 北京：商务印书馆，1996：160－151.

拉底的"知识即道德"的思想推向极端，认为善的理念是一切善行的目的和唯一真实的、永恒的价值基础，是道德的唯一根源。道德就是理念在人们灵魂中的体现和追求。柏拉图把人的灵魂分为理性、意志和情欲三个方面，其中理性是最高的，人只有通过理性才能认识理念世界，达到至善；意志和情欲是在理性的支配下进行活动的，其圆满的活动就是善理念在现世的表现，由此就产生出各种德行活动，形成智慧、勇敢、节制、正义四种主要德性。[①]

柏拉图的这种先验的理念观和哲学王思想产生了相应的教育内容和教育方法。柏拉图所关心的实在不是普通人的教育，而是卫国者哲学王的教育。首先，卫国者是根据理智品质和道德品质的结合而被挑选出来：他必须正直、儒雅而好学，有着很好的记忆力与和谐的心灵。20岁以后，从事思辨性学问的学习：数学、几何学、天文学与和声学。这些学问绝不能以功利主义的精神去追求，而只是为了准备使他的心灵能够洞见永恒的事物。[②] 这种思想又成为我们后面要讨论的科学主义教育观中形式论的源头。

两千多年后，生活在17世纪中叶以后的法国社会学家和教育学家涂尔干（E. Durkheim）大大发挥了教育继承社会传统和通过道德教育改良社会的思想。他强调教育的社会功能，提出教育首先是满足社会需要，教育目的主要在于使年青一代系统地社会化，成为西方功能主义教育学的先驱。

涂尔干的教育思想集中体现在他的《法国教育学的演变》《道德教育论》和《教育与社会学》中。涂尔干及其功能主义的教育思想主要是：

第一，强调教育的社会功能，认为社会类似于生物有机体，各个组成部分既相互依赖又相互独立，形成社会的稳定系统。稳定的社会结构是合理的。认为教育是社会结构中的重要组成部分，是社会赖以存在的

---

① 中国大百科全书编辑部. 中国大百科全书·哲学Ⅰ［M］. 北京：中国大百科全书出版社，1996.

② 罗素. 西方哲学史［M］. 何兆武，李约瑟，译. 北京：商务印书馆，1996：174.

基础。因为学校是形成儿童社会价值观的重要场所，是传递和灌输维持社会稳定所必需的知识和行为规范的主要途径。

如果撇开时间、地点和条件不谈，先考虑理想的教育应该是怎么样的，这实际上是在默认教育制度本身丝毫没有实体的特征。于是，在教育制度中，就看不到整个教育实践与教育机构随着实践的推移而在缓慢地得到组织，也看不到它们与其他所有社会机构有相互联系，更看不到它们反映了其他所有社会机构，因而它们不能像社会结构本身那样随意地变化。……在社会的每一个阶段都有一种教育调节器，我们如果不遇到强大的阻力（其中包括脱离这一调节器的愿望），那就不能背离这一调节器。

然而，决定着这一调节器的习俗和思想，却并不是由我们个别地形成的。它们是共同生活的产物，表明了共同生活的必要性。在很大程度上，它们甚至是前人的业绩。人类的全部历程，都有助于形成这一切正在指导着今日之教育的行为准则；我国的全部历史，甚至在形成我国之前的民族史，都在教育中留下了自己的痕迹。所有高一级的组织，就这样既反映了一切生物的进化过程，又是生物的进化结果。[1]

第二，强调教育的目的主要是使年青一代系统地社会化。认为教育的目的使儿童的身心得到发展，以便适应整个社会对他们的要求。这是社会和个体的共同需要。涂尔干在《教育与社会学》中指出：

教育是年长的几代人对社会生活方面尚未成熟的几代人所施加的影响。其目的在于，使儿童的身体、智力和道德状况都得到某些激励和发展，以适应整个社会在总体上对儿童的要求，并适应儿童将来所处的特定环境的要求。

---

① 涂尔干. 教育与社会学 [M] //国外教育社会学基本文选. 上海：华东师范大学出版社，1991：4 - 5.

从上述定义可以得出这样的推论：教育在于使年青一代系统地社会化。在我们每个人身上，可以说都存在着双重人格，这种双重人格尽管不可分离（除非抽象地加以分开），但确有区别。一种人格仅仅由整个与我们自身、我们生活中的事件有关的精神状态所组成，可以把这种人格称为个体我。另一种人格是这样一种思想、情感和习惯的体系，即在我们身上表现的不是我们个人，而是我们作为其中一个组成部分的社群或不同的社群。宗教信仰、道德信仰与习俗、民族传统或职业传统以及各种集体信仰，就是这样的体系。这种体系的总和便是我。塑造社会我，这就是教育的目的。①

　　第三，强调德育的重要性。涂尔干认为，社会变革时代的教育学者首先应注意的莫过于道德教育问题。只要把公民的道德问题解决好，社会危机就能消除，社会也就能稳定。涂尔干在《道德教育论》中说：

　　我现在以道德教育问题作为讲课的题目，其原因不仅因为道德教育历来被教育学者看成是一个最重要的问题，还因为道德教育问题在今天特别迫切需要予以解决。我在上一堂课讲到危机，正是在我们传统教育学体系中的这一部分表现得最为尖锐。正是在这一部分发生的崩溃，可能最为彻底，同时也最为严重。因为，凡是能减少道德教育的效能，或者使它变得更加不确定的东西，无不在破坏公共道德。所以，现在要求教育学者予以注意的莫过于道德教育。②

　　当然，涂尔干所强调的道德教育是一种所谓"纯粹的唯理的教育"，即不是盲从的或训诫的教育，主张理解现代社会的道德要求。

　　20世纪50年代以后，功能主义的主要代表，美国教育社会学家帕森斯，花了大量精力从社会学的角度研究教育。也是强调教育与社会之

---

① 张人杰. 国外教育社会学基本文选 [M]. 上海：华东师范大学出版社，1991：9.

② 同①：389.

间的和谐关系，强调既成的价值观和社会规范对制约教育的合理性和必然性，强调教育的社会化功能，认为通过学校教育，儿童将具备为在未来社会生活中承担一定的角色所必需的义务感和能力。在教育对社会的作用方面，强调教育的社会选拔功能，认为通过学校教育，社会将根据学生的受教育程度赋予相应的学历，决定其相应去向，为维持社会的生存和稳定作贡献。

教育的社会理想主义并不是一个很周延的概念，包容在具有社会理想主义倾向的教育观点和主张也不尽相同，但它们的共同特征或基本信仰是：维护社会的既成价值和既成规范，认为教育是传承社会价值和规范的理想的手段，强调教育的社会化功能和选拔功能，强调道德教育；同时，也强调知识的教育，重视教师在教育过程中的作用，教师是教育活动的控制者。

在东方智者强调人的群体性，构建以仁为核心、以礼为规范的时候，西方人则开始谈论个体的独立性和对自然的抗争能力，并逐渐形成了个人本位的功利主义传统和制约个人欲望扩张的法制文化，形成了对人在与自然抗争过程中的本性追求。迪福的《鲁滨孙漂流记》和海明威的《老人与海》虽然跨越了时空，但所表现出的人（而且是个人）在自然力量面前的不屈精神和生存智慧，表现出的超越人的极限的可能，都是对人性很具深度的表现。

## 第三节 科学主义的教育观

我们把以下的主要观点归纳为科学主义的教育观：教育的目的是使人了解自然的规律和提高人的工作效率，重视对自然知识的掌握和对自然现象的研究，强调人在征服自然的过程中自身力量的实现；它把传授科学知识当做教育的中心任务，把提高人的思维能力和智慧水平，获得职业技能当做教育的基本目标。但在对知识的理解上，存在着"形式"

性知识与"实质"性知识的分歧。

## 一、启智——形式主义教育观

在分析这个问题之前，我们首先需要分析一下这种教育观念背后的人性观。社会理想主义背后的人性观是人性本善和人（仁）在群体之中。人区别于动物的最大特征是"人能群，彼（动物）不能群"（荀子语）。因此教育的使命就是调动人的本性中固有的善端，在群体中"别名份、等贵贱"，确定自己的位置，明白自己的行为规范，在集体中和谐相处。而西方文化对人性的理解并不那么强调人与动物的区别，相反，认为人就是野兽与天使的混合物，认为人一半是野兽，一半是天使，也就是说，人身上具有动物性和神性两种特性，把人与动物看成是一个连续体。教育的任务就是怎样提高人的神性减少兽性的问题。正是这种人性观才能孕育出达尔文和他的进化论，才能孕育出弗洛伊德和他的精神分析学说。

所谓动物性，简单地说就是行为受欲望、本能和情绪支配的特性；所谓神性就是行为受理性、智慧和意志控制的特性。教育的使命就是怎样增加人的理性，启发人的智慧，使人的行为在理性的控制下向有理、有利的方向进化。根据这样的教育理念，教育内容本身就显得不那么重要了，重要的是教育过程，在教育过程中学生的智慧是否得到发展，对事物的判断力是否得到增强，这才是教育的目的。

早在公元前400多年，古希腊的智者派就建立了启智教育的传统。他们以提高受教育者的政治智慧和辩论术为目的，以传授辩证法（思辨之术）、修辞学（辩论之术）和文法为主要内容，奠定了西方"三艺"教育的基础，开辟了形式教育的先河。从智者派教育的内容和方法来看，内容本身并不重要，更不需要学习者死记硬背，内容对于教授者和学习者来说，只是训练思维和辩论、演说的工具。在智者派的教育中，学会辩论和演讲比辩论什么和演讲什么重要得多。

到了苏格拉底则把启智教育发挥到了极致。一方面，他把知识教育看得很重要，一方面他又说，我所知道的就是我的无知。可见，他把求知的意识和能力看得比知识本身重要得多。在教育上，苏格拉底留给人们最宝贵的财富也许就是他的诘难法（又称产婆术）。他对获得问题的过程和方法，以及在获得问题答案过程中判断力的关心，远远超过对问题答案本身的关心。有一次，苏格拉底与士兵讨论"什么是勇敢"的问题，下面是简短的对话：

"什么是勇敢？"苏格拉底随便地问一个士兵。

"勇敢是在情况变得很艰难时能坚守阵地。"士兵回答。

"但是，战略要求撤退呢？"苏格拉底问。

"假如这样的话，就不要使事情变得愚蠢。"

"那么，你同意勇敢既不是坚守阵地也不是撤退？"

"我猜想是这样。但是，我不知道。"

"我也不知道。或许它正好可以开动你的脑筋。对此你还有什么要说的？"

"是的，可以开动我的脑筋。这就是我要说的。"

"那么，我们也许可以尝试地说，勇敢是在艰难困苦的时候的镇定——正确的判断。"苏格拉底说。

"对。"士兵回答。

可见，苏格拉底注重的是启发受教育者根据自己已有的知识进行独立思考，不断发展自己的思考，得出自己的结论。

作为苏格拉底学生的柏拉图，对于知识和智慧的关系有更深刻的认识。

一方面，柏拉图建立了理想的王国，强调国家的权威，产生了深远的政治学影响；另一方面，他的理念说促进了人们对事物本质的研究。柏拉图认为，有一个暂时的"现实世界"和一个永恒的"理念世界"。

现实世界是理念世界的摹本或影子，凡是若干个体有着一个共同的名字，它们就有一个共同的"理念"或"形式"。例如，虽然有着许多张床，但只有一张床的"理念"或"形式"。正如镜子里所反映的床仅仅是现象而非实在，所以各个不同的床也不是实在的，而只是"理念"的摹本；"理念"才是一张实在的床。教育就是要帮助人们"洞见""理念"。柏拉图主张学习算术、几何学、天文学、和声学，这是因为，算术能唤起思考力，引导心思向上；几何学是关于永恒存在的知识，可以引导心灵面向本质实在；天文学不仅是观察天象，而且可以促使心灵向上，洞见宇宙的千变万化，有助于解决一般的问题；和声学用以研究声调与和音。柏拉图的知识并不是关于客观事物的知识，即不是关于"影像"的知识，他关心的是通过具体事物的知识达到对事物本质即理念或形式的认识。在他那里，知识与智慧差不多是同一概念。

而且，柏拉图认为，哲学不仅是智慧，而且是爱智。柏拉图用了一个比喻来说明他的观点：想象一些囚徒住在一个地穴里，这个地穴有一个通光线的长甬道。这些囚徒从小手脚都被绑住，只能向前看。有一道光从他们背后高处照下，在这些囚徒面前，有一道矮墙，好像一个屏幕，在它上面映现出各种人形以及各种材料做成的各种动物形状。其中有些人在说话，有些人则沉默着。这些囚徒把他们在屏幕上看到的影像当做真实的东西，被影像所欺骗。人们要认识理念世界，就必须打破锁链，跑到地穴外面去。能在光天化日之下看到真实世界的人就是掌握了知识的人，就是哲学家。要打破锁链，获得真知，就必须接受适当的教育。可见，教育的过程，不是接受知识的过程，而是启智的过程。① 知识在柏拉图那里是手段，而非目的。

亚里士多德被称为古希腊最博学的人，他认为，人的身体和灵魂如同物质和形式一样，不可分离地存在着。灵魂有三种：植物灵魂，表现为营养和繁殖；动物灵魂，表现为感觉和欲望；理性灵魂，表现为理智

---

① 柏拉图. 理想国 [M]. 郭斌和，张竹明，译. 北京：商务印书馆，1997：272 - 279.

和沉思。教育的目的就在于发展这三个方面，使之达到最高的程度，使德、智、体得到和谐的发展。当然在这中间理性的教育是最重要的。

亚里士多德不仅对哲学、政治学、伦理学等社会科学有重大贡献，而且对思维的科学——形式逻辑的创建做出了惊人的成绩。至今逻辑学的基本框架和基本命题基本来源于亚里士多德。英国哲学家罗素说，"亚里士多德的影响在许多不同的领域里都非常之大，但以在逻辑学方面为最大。"① 尽管罗素本人对亚里士多德的逻辑学评价不高。

逻辑学并不是知识本身，但它却是获得知识不可缺少的工具和手段。你学习形式逻辑的过程，就是思维训练的过程。形式逻辑学习很长时间以后，关于范畴、定义、命题、公理等具体的知识可能都遗忘了，但思维要遵循形式逻辑却会使你终身受益。亚里士多德总结和发现了这样一种学问，对人类智慧的发展可谓功德无量。在很长时间里，逻辑学是西方教育的最主要内容之一。

逻辑学同时又是语法学。因为逻辑学是以语言研究为工具的，它注意的是语言的形式而非内容。学习语言学的过程实际上是一个很好的清思过程。不学语言绝不会影响人学习说话，但学习语言学却使人规范和严格。而逻辑、文法、修辞是西方教育史上始终受到重视的内容。文法、修辞、逻辑与柏拉图提倡的算术、几何、天文、音乐一起，称为"七艺"教育，即7种基本的教学内容。其中，文法、逻辑、修辞又被当做"三艺"，即最核心的3种。当然，这里的修辞并不是我们在语言学中涉及的修辞手段，而是从古希腊智者派就开始注重的辩论术。同样，辩论术并不是一种确定的知识，相反，它是训练思维的敏捷性、综合运用知识的能力和能言善辩技巧的手段，也可以说是强词夺理的艺术。它是一种辩证思维的早期表现。西方的律师文化就和古老的辩论术有着深厚的渊源关系。这可以使我们发现一个很有趣的现象，西方文化一方面注重理性、注重事实、注重实证和确定性；另一方面，又崇尚智

① 罗素．西方哲学史［M］．何兆武，李约瑟，译．北京：商务印书馆，1996：252.

慧，承认摇唇鼓舌以蛊惑人心、歪曲事实的合法性。古希腊的这种影响在今天，依然清晰可见。

中世纪以后，这种传统演变为形式主义教育。

英国教育家洛克往往被看做是形式教育的倡导者。他说："要使所有的人都成为深奥的数学家，并无必要，我只认为研究数学一定会使人心获得推理的方法，当他们有机会时，就会把推理的方法移用到知识的其他部分去。"

形式教育的主要观念是：

第一，教育的任务在于训练心灵的功能。身体上的各种器官，只有操练才能使它们发展起来；心智的能力，也只有练习才能使它们发展起来。人的一切能力都是从练习中发展起来的，记忆力因记忆而增强，想象力因想象而长进，推理力因推理而提高。这些能力，如果得不到练习，就会减退、变弱。因此，教育重要的是发现能够最有效地训练学生心智能力的方法。

第二，教育以形式为目的。在教育中，灌输知识远不如训练功能来得重要。学生受教育的时间是有限的，不可能将所有的知识都灌输给他们。如果他们的心智因训练而发展了，就可以随时吸收任何知识。所以掌握知识在教育中是次要的，重要的是能力的发展。知识的价值在于为心智训练提供了材料，具体的知识可以被遗忘，但由训练而形成的能力却是永久的。

第三，心灵功能的训练会自动产生学习的迁移能力。形式教育理论认为，某种训练使心灵功能或某种功能得到发展，那么这种发展就会在其他学习中也表现出来。学生学习拉丁文、希腊文和数学，会对学习其他的课程和教材产生很大的好处。这是由于从拉丁文、希腊文、数学的学习中，提高的比较能力、分析能力、综合能力和推理能力，能够有效地适应别的情境，转移到其他内容的学习上去。从这个意义上说，学习的内容，也就是训练的材料，越具有一般性，迁移的面就越广，迁移的效果就越好。而越是具体的知识，迁移的面就越窄。

## 二、知识就是力量——实质主义教育观

启智教育、形式主义在理论上的缺陷是明显的，生活、学习、战斗、管理等的能力，光有理性智慧而没有具体实用的知识是无法想象的。但是在漫长的农业社会，生活节奏缓慢，劳动阶级所需要的生活和工作技能在生活过程中可以自然获得，而不需要经过学校；社会统治者在学校里学习的东西可以与社会生活实用的知识毫无关系。但是，随着工业革命的兴起，生产的竞争成为社会变化和人的变化的强大动力，效率成为竞争的成败关键。如何具有社会竞争力，提高生产水平和个体水平，成为社会的主旋律。掌握切实有用的知识的要求就成为教育的新使命。为什么需要这些知识和需要哪些实用知识，以及怎样传授这些知识，就成为科学主义教育的新起点。在历史上也就出现了与形式主义相对的实质教育论。

实质教育论首先要上溯到英国思想家培根（1561—1626）。培根以知识论作为自己哲学的中心问题，把改造人类的知识，实现科学的"伟大的复兴"，建立一个能促进科学发展和技术进步的新哲学，当做自己理论活动的目的。培根尖锐地批判经院哲学脱离实际、玩弄概念、崇尚空谈的恶劣风气。抨击经院哲学隔绝人与自然的关系，堵塞认识自然的道路，禁锢人们的思想，号召人们从盲从权威中解放出来。

培根在"混乱"的标题下把经院主义教育的学习分成三类：一是"空想的学习"，例如，炼金术和魔术等；二是"争辩的学习"，例如，学习不是建立在观察基础上的经院哲学；三是"精致的学习"，例如，学习不真实的和对人类不重要的知识。他认为，获取科学知识比获取世界上任何东西都要珍贵，一切发明创造将会给人类带来巨大的和永久的好处。人类的知识和力量是结合在一起的，知识就是力量。只有获得了科学知识，认识了自然，人才能够支配自然，人才有力量。为此，他对科学进行了重新分类，以便重新改造和研究人类的知识。他把科学知识

分成三个部分，130 个学目。第一部分 40 个学目，是关于人以外的自然界的，包括天文学、气象学、地理学和水、火、土、空气（即古代认为构成世界的四种元素），以及矿物、植物、动物等。第二个部分 18 个学目，是关于自身的，包括解剖学、生理学等。第三部分 72 个学目，是关于人对自然界的行动、人的学术、技艺等，包括医学、化学、绘画和雕刻、音乐、印刷、航海、军事等。[①] 这样的一个学科分类系统虽然缺乏理论基础，但强调实用的价值和对人实际生活的指导是非常明显的。对进一步完善科学系统有重大的意义。埃德蒙·金在所著《西方教育史》中称赞道："培根在新的时代取代了亚里士多德的地位，成为那些试图认识事物和从事教学的人的大师。'知识的进展'成为许多渴望改革生活和思想的人的口号，并通过那些人逐渐成为近代教育思想的一个重要组成部分。"[②]

蒸汽机革命的完成和电器革命曙光的出现，为科学教育不断注入新的内容，同时也为科学教育思想的发展提供了新的土壤。斯宾塞就是这样一位对科学教育提出新的见解和原则的人物之一。

斯宾塞（1820—1903）生活于 19 世纪中期的英国，当时正是传统的古典教育主张与科学教育的主张激烈论战的时期。传统的古典主义教育坚信：拉丁文、希腊文等古典文化知识具有最重要的价值，对一个有文化教养的人来说，这也是最要紧的。尽管自培根以来重视科学教育的呼声不绝于耳，古典主义教育的传统在欧洲各国特别是在英国依然占据统治地位，"各校的共同特征是拉丁文和希腊文的教学（比较其他学科）占统治地位。消耗在拉丁文和希腊文教学的时间达全部教学时间的三分之二"。[③] 学校课程与科学知识很少有关系。在这样的背景下，斯宾塞从功利主义的原则出发，抨击了旧教育的虚浮与不切实际，指责英国的学校教育是"装饰主义"的。提出了教育为生活做准备的"教

① 单中惠. 西方教育思想史［M］. 太原：山西人民出版社，1996.
② 单中惠. 西方教育思想史：第 7 章［M］. 太原：山西人民出版社，1996.
③ 曹孚. 外国教育史［M］. 北京：人民教育出版社，1979：221.

育预备说"。他说：

怎样生活？这是我们的主要问题。不只是单纯从物质意义上，而是从最广泛的意义上，来看待怎样生活。……怎样看待身体，怎样培养心智，怎样处理我们的事务，怎样带好儿女，怎样做一个公民，怎样利用自然所供给的资源增进人类幸福，总之，怎样运用我们的一切能力使之对人最为有益，怎样去完满地生活？这个既是我们需要学的大事，当然也是教育中需要教的大事。为我们的完满生活做准备是教育应尽的职责，而一门教学科目的唯一合理办法就是看他对这个职责尽到什么程度。①

那么，怎样的准备才是最可取的呢？斯宾塞提出了一个教育学具有永恒价值的问题：什么知识最有价值？并对这个问题做出了时代的回答：

什么知识最有价值？一致的答案就是科学。这是从所有各方面得来的结论。为了直接保全自己或维持生命的健康，最重要的知识是科学。为了那个叫做谋生的间接保全自己，有最大价值的知识是科学。为了正当地完成父母的职责，正确指导的是科学。为了解释过去和现在的国家生活，使每个公民都合理地调节他的行为所必需的不可缺的钥匙是科学。同样，为了各种艺术的完美创作和最高欣赏所需要的准备也是科学。而为了智慧、道德、宗教训练的目的，最有效的学习还是科学。②

科学既然有着如此美妙和完美的巨大作用，毫无疑问，科学知识在学校教育中自然应该占据中心位置。而且，斯宾塞根据为生活准备的程序，把科学知识分成五类，构建了以科学知识为核心的学校课程体系。

---

① 斯宾塞. 教育论［M］. 胡毅，译. 北京：人民教育出版社，1962：7.
② 同①：43.

第一类：生理学、解剖学——这是阐述生命和健康规律，维护个人生命和健康的知识；

第二类：读、写、算，以及逻辑学、几何学、生物学、物理学、天文学、地质学、化学等——这是与从事生产活动直接有关系的知识；

第三类：心理学、教育学——这是教养子女所需要的知识；

第四类：历史学、社会学——这是了解过去和现在的生活，合理调节自己行为的知识；

第五类：文学、艺术等——这是充实闲暇时间、娱乐活动所需要的知识。

斯宾塞对科学知识在人类生活中作用的新认识，极大地提高了科学知识在现代教育中的地位，使得科学逐渐成为现代教育的主要内容；同时，他关于科学知识的分类方法，也极大地影响了现代课程设置，可以这么说，尽管 20 世纪以后不同的课程理论异彩纷呈，但至今为止，大多数国家的课程格局基本上还是斯宾塞课程分类的延续。

如果说斯宾塞在课程构建、内容选择上，极大地推进了科学教育的发展，那么，德国的赫尔巴特的教学思想，则建立了科学教育的教学规范，使得欧美国家的教育全面走向科学教育时期。

赫尔巴特（1776—1841）第一个明确提出，应该把教育学建成一门科学，教育学在教育目的上必须以伦理学、道德哲学为基础，在教学过程、教学方法和手段上则必须以心理学为基础，教学是教育的最基本的手段。这样，对教育的研究，就落实到对教学过程的研究。赫尔巴特是一位主知主义者，他相信人的灵魂是一种不变的实在，它与肉体相结合，形成许多感觉，并构成观念。观念是人的全部心理活动的基础。他把人的心理活动归结为认识过程。他认为，人类的观念、经验的增长过程，是一个积累的过程，人类经验中一切新的东西，都是根据过去的经验而得到补充和了解的。科学主要是一些既成的事实、规则、定理，教育的任务就是使学生掌握这些知识和形成运用这些知识解析题目的能力。人们的观念、知识和经验在人的头脑中形成了"统觉团"，统觉作用就是利用已有的观念吸收新的观念。所以他认为，一个好的教育过程，应该分为四个教学步骤：

明了——给学生明确地讲授新知识；

联想——使新知识要与旧知识联系起来；

系统——作概括和结论；

方法——把所学知识运用于实际（习题解答、书面作业等）。

教育学是教育者自身需要的一门科学，但他还应该掌握传授知识的科学。……他的思想范围是如何形成的，这对于教育者来说就是一切，因为从思维中将产生感受，而从感受中又会产生行动的原则与方式。利用这种连锁反应，联想出可以授予学生什么样的一切，在他的心灵中播下什么样的一切，以及考察如何使它们相互补充，即如何使他们一个接着一个地相互衔接起来，如何使它们能够各成为其未来出现的部分的支柱，而这一切就为教育者提出了如何处理各种事物的无穷无尽的任务，并给教育者提供了取之不竭的材料。①

赫尔巴特生活的年代虽然比斯宾塞早些，但赫尔巴特的教育理想和教学思想是在斯宾塞的科学教育思想广泛传播之后更加大张其道的。可以说，斯宾塞的教育思想为赫尔巴特的教育思想提供了内容上的保证，赫尔巴特的教育思想为斯宾塞的教育思想提供了形式上的支撑。两者相得益彰，构成了所谓的"传统教育"，即教师中心、教材中心、课堂中心的教育体系。

赫尔巴特的教育思想20世纪初对我国教育思想发生过一些影响，但对我国真正产生影响的是新中国成立以后通过苏联教育理论家凯洛夫间接产生的。20世纪30年代以后，凯洛夫秉承苏共中央的意志，主编马克思主义的教育学。试图用人的全面发展思想指导学校教育工作。其

---

① 赫尔巴特. 普通教育学［M］. 李其龙，译. 北京：人民教育出版社，1989：10.

实凯洛夫教育学对教育的任务和教育的途径等基本问题的理解与赫尔巴特是一致的，认为全面发展就是用全人类的知识武装学生的头脑，强调"智育第一"，认为教学是学校教育工作的基本的和最重要的途径。强调教学应遵循学生的心理特点。在对学生认识过程和对教学阶段的划分上，与赫尔巴特也有高度的相似性，只是把教学过程的阶段划分规定得更具体。把每一节课都分解为准备上课、复习旧知、讲授新知、巩固新知、运用新知（作业）五个阶段。凯洛夫的教育学对中国的课堂教学产生了非常深刻的影响，这种教学模式至今仍被广泛采用。

我们知道，自牛顿力学取得了在科学上的决定性胜利之后，就逐渐建立了人们对科学的信仰。17、18 世纪，经过了霍布斯、笛卡儿，特别是拉美特利等人的努力，科学主义的大旗高举起来。科学主义的基本要点是：第一，科学是人类文明最重要、最优秀的成果，它在人类文化中应占据最重要的位置，在教育中应处于核心地位；第二，在对自然、社会和对人自身的研究中，自然科学的方法是唯一可靠的方法，自然科学的方法运用的程度是某一学科成熟的标志；第三，科学的方法能够解决一切问题，包括人文学科和人生面临的一切问题。科学主义促进了世界标准化、划一化的进程。

科学主义在教育上的典型模式是：教育以科学知识的学习为中心，这一学习是在学校中进行的，教育的所有活动都意味着与学校的联系。对绝大多数人来说，受教育就意味着上学。学校的核心是班级，辅之以阅览室和实验室。学习即意味着获得知识，而获得知识主要是读书。

为了教学活动的有效进行，知识被按照不同年级的水平组织起来，构成系统的课程和连贯的教材。从低年级进入高年级是通过考试、测验来决定的。为了保证教学质量，为了优秀人才的成功选拔，竞争和淘汰是必不可少的。所以教育的水平越高，淘汰也越多，竞争也越激烈。这样，分数和年级，证书和学位，就成为学生追逐的目标和国家、学校管理的手段。

科学主义教育观在美国的代表是要素主义。20 世纪 30 年代以后，针对"进步主义"教育引起的教育质量的普遍下降，巴格莱、莫里森等人喊出了"回到基础"的口号，强调学校教育必须依赖于"人类文化遗产中的共同要素"，学习者应该系统地学习、透彻地理解和熟练地掌握这些共同要素。20 世纪 50 年代以后，针对美苏军备竞赛和人才竞争的愈演愈烈，科南特、贝斯特等人把要素主义发展成了一种运动，对美国的教育改革产生了巨大影响。

要素主义赞赏传统教育中形式性智力训练的主张，强调思维能力的训练，主张严格按照系统性、学术性的要求设置学校课程和制订教学计划；在师生关系上，强调教师的指导作用，主张坚持学业标准和严格考核制度。认为普及教育和教育机会均等的原则不能以牺牲高标准的教学和精英人才的培养为代价。

教育上的科学主义思潮尽管不断受到猛烈的抨击，但它依然大行其势，造成了现代社会的"学历主义"现象。所谓学历主义，即在决定一个人的社会地位时，学历比其他因素具有更重要的作用。学历社会适应了现代社会工业技术发展和近代科学管理制度的需要。马克斯·韦伯分析学历主义的兴盛是因为它符合了工业社会"合理"和"效率"的原则。同以家庭、阶级出身来衡量一个人的才能、确定一个人的社会地位的阶级制度和血统主义相比，无疑是历史的进步。然而，它的畸形发展，导致了越益不合理的结果——教育背离了教育本身的价值，也违背了教育为自己制定的目标。学校从一个智慧、知识、道德的传导、熏陶的场所变成了等级化的机构和发放学历证书的场所；普遍存在于教育过程中的考试，远远超出了它的评价和改进教育手段的功能，形成了它自身无法胜任的主宰和导向作用；同时，激烈的竞争导致了普遍的厌学情绪，学生寄托于学校的梦想破灭了，面对的是他们不愿面对的无边的考试、无聊的重复和无情的筛选。

科学在加速度地向前发展着，国际力量的竞争，也主要成了科学技术的竞争，成了人才培养的竞争。在这样的形势下，教育受到了对科学控制的担忧和创新人才需要的双重压力。

关于对科学控制的担忧来自于这样两方面的质疑：

第一，科学知识对人的异化。这从 20 世纪 60 年代起就不断受到思想家们的关注。英国教育社会学家迈克·扬，法国教育社会学家皮尔·布迪厄以及后现代主义哲学家福柯都有深刻的见解。他们指出，人类发明的知识，特别是科学知识，已经越来越凌驾于人主体之上，知识反过来控制人们的思想。知识不仅成为认识世界的工具，而且成为意识形态的价值观。出现了知识霸权现象。①

第二，科学教育加剧了社会的不平等，学校教育越来越背离了它的初衷。这以伊里奇的"学校消亡论"最为典型。伊里奇认为，现代社会一切邪恶与痛苦的根源，都是由于价值的机构化。所谓价值机构化，是指人与自己创造出来的机构之间存在的某种异化关系。人创造了机构，赋予机构以价值，结果，机构成了价值的化身、而人反而丧失了价值。学校就是这样的机构。人创造了学校，学校成了与教育直接同一的价值。人把自己的学习托付给学校，从而丧失了自学的能力。进学校成了进入社会的入门仪式。学校成为监护、社会角色选择、价值与信仰的灌输、教育（主要指知识和技能的教学）等社会职能构成的有机机构。进入这样的学校，获得学校的证书，才是被承认的公民。

学习价值的机构化，使学习从一种活动变成了一种商品，文凭则是商品的标志，"隐蔽课程在社会上重新划分了等级机构。在这个机构中，消费知识多的人——即那些获得大量知识储备的人——享受特权，高收入，并拥有获得强大的生产工具的权力。"② 另一方面，没有进过学校或只有低学历的人则在社会的底层。

关于创新人才需要的压力来自于新经济时代的到来。

工业化时期的核心概念是效率，竞争力来自于规范和熟练。标准化

① BOURDIEU P, PASSMERSON J. Reproduction in Education, Society and Culture, London：Sage Publications Ltd. , 1977.

YOUNG M F D. Knowledge and Control, New directions for the sociology of education. London：Collier-Macmillan Publishers, 1971.

② ILLICH I. The Alternative to school. Study Reivew, 1971（6）.

则成为工业化的产物和提高竞争力的手段。适应于社会的这种要求，制度化的教育逐渐建立起来。但是，进入信息社会，特别是进入以计算机和互联网为特征的新经济时代以后，创新能力成为推动经济和社会发展的原动力。创新恰恰就是要打破标准化，实现个性化。制度化教育与标准化的工业进程是相配备的，如何构建与网络时代、新经济时代相配备的"超制度化教育"，就成了教育理论和教育改革实践的迫切课题。

# 第四节　人文主义的教育观

　　教育的人文主义以人的和谐发展为目标，希望人的本性、人的尊严、人的潜能在教育过程中得到最大的实现和发展。教育的人文主义常常是以批判主流教育的姿态出现，它反对教育以预设的、人为的、外在的教育目的支配教育，主张以学生自身的发展为目的，强调发展人的天性，发展人的个性，发展人的潜能。

## 一、顺性达情

　　现在我们讲人文主义总是联想到古希腊、欧洲文艺复兴。其实，在中国的文化传统中同样蕴涵着深厚的人文精神——以人、以个体自由发展为目的、为价值追求的精神。其代表者当首推老庄。

　　儒家是从人际关系中来确定个体的价值，老庄则是从摆脱人际关系来寻求个体的价值；儒家强调积极的教育以影响个体，老庄则主张放弃教育以肯定自己；儒家强调以社会伦理规范人心，老庄则主张顺性达情、任性发挥。无论本体论或认识论，老庄都要求人应该模仿自然物，既无知识又无欲望，任凭那些无意识无目的无欲望又合规律的客观过程运行，这才符合"道"。

　　"道"是老庄哲学的核心概念，虽然道的含义丰富博大，也非常庞杂，但其基本思想就是遵循自然法则：

> 人法地，地法天，天法道，道法自然。

而人世的问题就是违反自然，弄出很多功名利禄的东西来奴役自己：

> 故尝试论之，自三代以下者，天下莫不以物易其性矣。小人则以身殉利，士则以身殉名，大夫则以身殉家，圣人则以身殉天下。

不同的人尽管为不同的外物所役使，有些人为名，有些人为利，有些人为义，但都是对人为之物的追求，都是对个体生命、对个体自然本性的戕害。从这个意义上说，老庄哲学是个体哲学，是个体的解放之学。老庄哲学个体发展的最高境界不是圣人、贤人，而是"真人"。这样的真人对世间的功名利禄无动于衷，对身外的荣辱毁誉等闲视之：

> 古之真人，不知说生，不知恶死；其出不䜣，其入不距；翛然而往，翛然而来而已矣。不忘其所始，不求其所终。受而喜之，忘而复之。是之谓不以心损道，不以人助天，是之谓真人。（《庄子·大宗师》）

所谓真人，不以生悦，不以死厌；不因出生而高兴，不因死亡而抵抗，自由自在地面对生死。不可把人的主观能动作用加在天道上，甚至连人的生命形体都任随着天道的变化就行了，无须计较生死祸福。

著名的庄周蝴蝶寓言和同样著名的庄子妻死鼓盆而歌的故事，① 都

---

① 庄周妻死，惠子吊之，庄周则方箕踞鼓盆而歌．惠子曰："与人居，长子、老、身死，不哭亦足矣，又鼓盆而歌，不亦甚呼！"庄周曰："不然．是其始死也，我独何能无概！然……人且偃然寝于巨室，而我噭噭然随而哭之，自以为不通呼命，故止也"（《庄子·至乐》）．

在点明，所谓梦、醒和死、生，是可以从精神上予以超越的。把梦醒生死加以确定、区别和规范，是执著于不真实现象的片面，被不真实的外在的有限事物所束缚住了。只有从心理上完全忘怀，视同一体，"恶识所以然，恶识所以不然"，"不知周之梦为蝴蝶欤？蝴蝶之梦为周欤？"①这才与整个自然、整个宇宙合二为一。这才是"安时而处顺，哀乐不能入。"这才是能"登高不栗，入水不濡，入火不热"的"真人"。摆脱了"物役"，才能够"物物而不为物所物"，获得绝对自由，作逍遥遊。

庄子以这种精神状态作为理想人格的本质特征，目的在于强调把一切为仁为义为善为美为名为利等所奴役所支配所束缚的"假我""非我"统统舍弃掉。达到人与自然融为一体。所以，庄子所追求的最高理想并不是某种人格神；它所描述和追求的只是具有这种心理——精神的理想人格。

老庄哲学的顺性达情的自由理想对现实必然是持批判和否定态度的，其否定的程度既是极度夸张的，又是振聋发聩的：

大道废，有仁义。慧智出，有大伪。六亲不和，有孝慈。国家昏乱，有忠臣。(《老子》十八章)

绝圣弃智，民利百倍；绝仁弃义，民复孝慈；绝巧弃利，盗贼无有。(《老子》十九章)

那么，对现实社会持如此激烈的批判态度，还要不要教育呢？教育者还有没有作为呢？老庄的回答是不但要，而且提出了自己的教育理想和理想的师生关系：

不言之教，无为之益，天下稀及之。(《老子》四十三章)

---

① 庄子．齐物论．

大音稀声，大象无形。(《老子》四十一章)

信言不美，美言不信。善者不辩，辩者不善。知者不博，博者不知。圣人不积，既以为人己愈有，既以为人己愈多。(《老子》八十一章)

大人之教，若形之于影，声之于响。有问而应之，尽其所怀，为天下配。(《庄子》)

"不言"的好处，"无为"的好处，什么也赶不上它。

最大的声音，听起来反而稀声，最大的形象，看起来反而无形。

真话不漂亮，漂亮不是真话。善人不巧说，巧说的不是善人。真懂的不卖弄，卖弄的不是真懂。"圣人"没有什么保留，尽全力帮助人，他自己反而更充足，把一切给予人，自己反而更丰富。

得天道的人对别人的教育、感化，象形体对于影子、声音对于回声一样，凡有问道的都和盘托出，与天下人都合得来。

老庄把教育者与受教育者之间的关系比作形和影的自然亲和，将二者的对话比作心灵的交流。教育者的非凡之处，就在于采取灵活多样的方式，去顺应受教育者的自由发展，因此，"顺性达情"可说是"无方之传"——教有法而无定法。

## 二、和谐发展

恩格斯在对古代希腊哲学进行评价时曾说："在希腊哲学的多种多样的形式中，差不多可以找到以后各种观点的胚胎、萌芽。"[①] 在古代希腊哲学家的思想中，我们可以找到社会理想主义教育观和科学主义教育观的源头，同样，他们也是人文主义教育观的滥觞。而亚里士多德则是集大成者。亚里士多德的"和谐教育"思想，是文艺复兴以后人文主义教育观最重要的来源。

---

① 恩格斯. 自然辩证法 [M]//马克思恩格斯选集：第3卷. 北京：人民出版社，1972：468.

前面曾经提到，亚里士多德认为，人的身体和灵魂，如同物质和形式一样，不可分离地存在着。灵魂有三种，而要使这三种灵魂得到发展，就需要有相应的教育，分别为体育、德育和智育。教育的目的在于发展这三个方面，使之达到最高的程度，使体、德、智得到和谐的发展。

理性的和非理性的两种灵魂，有相应的两方面的美德，即理智的和道德的。理智方面的美德的产生和发展大体上归功于教育，因此它需要经验和时间；而道德方面的美德乃是习惯的结果。他认为，道德方面的美德没有一种是由于自然而产生的，立法者的职责就在于通过塑造善良的习惯，而使公民的道德达于完善。亚里士多德认为，理性灵魂的生活在于沉思，也就是在于纯理论的、思辨的活动，这种活动是一切美德中最美好的。因此，理性活动的生活既是善的行为，也是善的本质。它构成了最高的美德，也是最大的幸福。这是人生的最高目的，也是教育的最高目的。

14 世纪以后，欧洲产生了资本主义萌芽并很快发展起来，新兴的资产阶级为了谋取他们的经济利益和政治地位，以复兴古代希腊的文化为借口，掀起了反对封建文化、创造资本主义文化的文艺复兴运动。这场运动以人性反对神性，以科学理性反对蒙蔽主义，以个性解放反对封建专制，以平等友爱反对等级观念，重视现实生活，肯定现实生活的幸福和享乐，反对禁欲主义。它的口号是："我是人，人的一切特性我无所不有。"在当时和后世产生了巨大而深远的影响。

人文主义思潮对教育的思想和实践也产生了巨大影响，并造就了一批人文主义教育家。如意大利的维多利诺（1378—1446）与他的"快乐之家"、尼德兰的伊拉斯谟（1467—1536）与他的《愚人颂》、法国的拉伯雷（1483—1553）与他的《巨人传》、蒙田（1533—1592）与他的《散文集》等。他们反对封建教会对儿童本性的压抑，强调教师要尊重儿童的个性。他们或发表言论，或兴办学校，从事教育革新。主张通过教育使人类天赋的身心能力得到和谐的发展。当然，这里的和谐发展无疑已经灌注进资产阶级的人格理想，包括热情、思维和性格的发展。这其中，维多利诺创办的学校"快乐之家"不仅在思想上而且在实践上体现了新兴资产阶级的人文教育主张。

首先，他把校址选择在郊外一个围绕着宫殿的公园里，环境优美，学生有足够的活动空间。他将学校取名为"快乐之家"，寓意着学校应当是接近自然和充满快乐的地方。

其次，维多利诺以学生的人格发展为办学宗旨，注重学生的身体、道德和精神的协调发展，又注重学生个人实际能力的培养。在体育方面，学校经常让学生练习骑马、角力、击剑、射箭、游泳、舞蹈和从事各种游戏活动；经常从事各种野营训练和军事训练。在德育方面，强调实际示范，不辱骂和惩罚学生，十分重视音乐教材和教师的选择。在智育方面，课程设置富有吸引力，既有初步的读写算和传统的"七艺"，也有新兴的文化教养、古典文学、基督教和骑士教育理想三者的协调。

维多利诺还发展了一种新的教学方法体系。他反对机械背诵，注重理解和练习。尊重每个人的兴趣和特长，经常根据学生的实际需要调整学习科目和学习方法。他把对话和游戏带进了学校教学中。

文艺复兴以后人文主义教育观最重要的代表当数夸美纽斯和卢梭。

夸美纽斯（1592—1670）是人文主义教育观的现实派代表。

夸美纽斯不仅是文艺复兴以来西方教育理论的集大成者，而且是近代西方教育思想的开拓者，斯皮尔曼这样称赞夸美纽斯和他的《大教学论》："倘若各时代的关于教育学的著作全给丢了，只要留得《大教学论》，后代的人便仍可以把它作个基础，重新建立教育的科学。"[①] 夸美纽斯不仅是教育学科学体系的奠基人，而且是教育革新的实践家。皮亚杰称："夸美纽斯不仅是第一个想象出一种全面完整的教育科学的人，而且，让我们重复一句，他还以这一科学作为他的'泛智论'的核心，在他的思想中，还以此作为他的总的哲学体系的一个组成

---

① 单中惠. 西方教育思想史 [M]. 太原：山西人民出版社，1996：173.

部分。"①

《大教学论》的主导思想，是热切希望所有的人都受到完善的教育，使之得到多方面的发展，成为和谐发展的人。这就是他的著名的"人人受教育""人人学习一切"的泛智论。夸美纽斯认为，人的本身就是一种和谐，人在身心各方面都存在着和谐发展的因子，教育就是要使这种因子真正得以发展。教育的目的，就是要从知识、道德、宗教信仰、身体和艺术各个方面去发展人。为此，夸美纽斯要求把"一切事物"的知识教给"一切人"。

夸美纽斯为了贯彻他的教育理想，探讨了教学过程的性质和特点，提出了具有广泛影响的教学原则、教学形式，建立了提高教学效率的班级授课制；拟订了各级学校的课程设置，制定了编写教材的原则和要求，使得泛智教育的理想成为切实可行的操作性程序。

与泛智教育的理想相呼应，夸美纽斯深化了教育适应自然的思想。夸美纽斯认为，教育在各方面都应与自然相适应。这里的自然一是指自然界及普遍法则，一是指人的与生俱来的自然天性。在人的自然天性方面，他首先指出了人在性格上的差异："有些人是伶俐的，有些人是迟钝的；有些人是温柔和顺从的，有些人是强硬不屈的；有些人渴于求取知识，有些人较爱获得技巧。"② 并由此提出教育要根据各人的要求和特点进行。其次，他又指出了人在发展阶段上的特点，把人的发展分为婴儿期、儿童期、少年期、青年期四个明显的发展阶段，并提出了建立相应的母语学校、国语学校、拉丁语学校和大学的四级学校系统。

夸美纽斯不仅是一位人文主义教育的理论家，而且是一位身体力行自己理想的教育实践家。22 岁的时候，他就担任学校校长，1628 年，他 36 岁的时候，因逃避天主教的迫害，夸美纽斯与 3 万兄弟会的成员一起离开祖国。在长期流亡国外的日子里，他进行了广泛的教育活动，主办过各种类型的学校。他的著作大部分是在这段时间里完成的。所

---

① 张焕庭. 西方资产阶级教育论著选 [M]. 北京：人民教育出版社，1979：199.
② 夸美纽斯. 大教学论 [M]. 傅任敢，译. 北京：人民教育出版社，1984：70.

以，他的这些著作不仅是思想的结果，也是实践的结晶。

夸美纽斯在教育思想史上是第一个建立了比较彻底的民主教育思想，鼓吹所有人不分等级接受同样教育的教育思想家，正因为他的这种彻底性，使他的教育思想具有历史的穿透性，放射出跨越时空的光辉。

## 三、以天性为师

卢梭（1712—1778）是人文主义教育观的浪漫派代表。

卢梭在教育思想史上是一位无法回避的人物。他构建了完整的自然教育理想，把儿童中心的思想推到了极致，成为后代一大批人文思想家的精神导师，这些人当中包括康德、裴斯泰洛齐、杜威。

卢梭同时代的启蒙思想家们坚持以理性作为衡量万物的尺度，相信理性的进步会自然而然地导致人和社会的完善，歌颂科学和艺术、理性和规律、知识和逻辑、文明和进步。卢梭一开始就表现出他的独立不羁、与众不同。他把文明与自然尖锐地对立起来，并为回复大自然大声疾呼。在顺应自然的思想指导下，他先后在《新爱露伊斯》一书中阐发了他的家庭理想，在《社会契约论》一书中阐发了他的社会理想，在《爱弥尔》一书中阐发了他的教育理想。

卢梭自然主义理想的建立，首先是从对现存社会反自然的批判开始的。卢梭的第一篇论文《论科学和艺术的复兴是否有助于敦风化俗》，就提出了一个惊人的观点：科学与艺术的进步将越来越违反自然，造成道德的堕落。他的《社会契约论》的第一句话就是："人是生而自由的，但却无所不在枷锁之中。"《爱弥尔》同样开宗明义："出自造物主之手的东西，都是好的，而一到了人的手里，就全变坏了。"由于《爱弥尔》一书对当时教育拔苗助长、戕害人性的批判言辞锋利、十分尖锐，极大地触怒了贵族和僧侣阶级，书一出版后即被宣布为禁书，在巴黎遭焚毁，卢梭本人也被迫逃往国外。

卢梭主张"要以天性为师，不要以人为师"，甚至认为如果顺应天性发展，罪恶就可消灭，社会就可得救，那么，这自然的天性是什么呢？

自由。卢梭认为，自由是人的天然本性，人天然具有自由活动的能力。人在遵循自然的自由活动中才能得到幸福。而"人为"却是与天性作对，是对自由的剥夺。他对当时的教育尖锐地质问到："你们为什么不让天真烂漫的儿童享受那稍纵即逝的时光，为什么要剥夺他们绝不会糟蹋的及其珍贵的财富……你们为什么要使那转眼即逝的岁月充满悲伤和痛苦呢？"① 可以看出，自由，包括儿童的自由在卢梭的心目中具有本体论的意义，是人的生命价值所在。他的自由观是从个体出发的，他也知道，个人的自由欲望是会无限扩张的，所以对人的自由必须有所限制，这就是他的社会契约的政治思想了。

理性。卢梭认为，人能够在感觉的基础上，通过理性活动，形成复杂的观念和知识，并用来指导自己的行动，这是上帝赋予的理性本能。顺应自然的教育才能发展人的理性。在15岁之前由于人的理性尚未觉醒，所以这时候要让儿童接触大自然，通过自己的感觉去感受、认识世界；当理性觉醒以后，则应进行信仰教育，"认识推动宇宙和安排万物的存在"② 的自然神。

善良。卢梭认为，性善是人人相同的，并不因人的贵贱而异。但是现在人是坏的，那是因为人后天受到了坏的教育。人必须造就新的、适合人性健康发展的社会、环境和教育，培养出身心发达、体脑两健、不受传统束缚、天性发展的"新自然人"，人类就能够在更高阶段回复自然。卢梭笔下的爱弥尔就是这样一种在理想自然环境下成长起来的"自然人"的典型：

他现在已经年过20，长得体态匀称，身心两健，肌肉结实，手脚灵巧；他富于感情、富于理智，心地是十分的仁慈和善良；他有很好的

---

① 卢梭. 爱弥尔 [M]. 李平沤，译. 北京：商务印书馆，1978：73.
② 卢梭. 爱弥尔：下卷 [M]. 李平沤，译. 北京：商务印书馆，1978：394.

品德，有很好的审美能力，既爱美又乐于善；他摆脱了种种酷烈的欲念的支配和偏见的束缚，他一切都服从于理智的法则，他一切都倾听友谊的声音；他具有许多有用的本领，而且还通晓几种艺术；他把金钱不看在眼里，他谋生的手段就是他的一双胳膊，不管他到什么地方去，都不愁没有面包。①

这是一个多么完美的形象，这是一首多么美妙的颂歌，这是一个多么令人憧憬的理想！历史上，人文主义的思想家、教育家往往以他们对现实社会锐利的批判而振聋发聩，又以他们的美好理想激励人们的追求。他们是建设者，更是警醒者。

卢梭"以天性为师"的教育思想与老庄"顺性达情"的教育思想确实有异曲同工之妙。他们的灵魂在天国相遇一定会恨相识之晚的。但是，他们之间的区别也是不可忽视的：

首先，老庄是避世的，卢梭是入世的。老庄的顺性达情是任其发展，毫无指向，社会理想是小国寡民，互不往来；卢梭的以天性为师是有选择的，是他所认为的纯洁美好的自然环境，而且最终是要能够进入浑浊的人世的。

其次，老庄是无可无不可，卢梭是是非分明的。老庄依靠的是主观心灵超越，随遇而安，它的负面表现就是精神胜利法；卢梭有自己明确的自由、民主主张，而且他自己就在为自我的实现、为他所追求的理想政治不懈奋斗。

第三，老庄是彻底打破规范反对任何规范的，具有自然原始倾向；而卢梭是追求合理规范的，并且有他的社会契约理想。同时他还主张个人部分地让度权利，由社会管理者集中使用。具有专制主义的潜在倾向。后来法国的雅各宾党人专政的很多理论依据就是从卢梭的思想中获得的。

---

① 卢梭. 爱弥尔：下卷［M］. 李平沤，译. 北京：商务印书馆，1978：634.

## 四、人格至上

人文主义教育的第三个高潮是第二次世界大战特别是 20 世纪 60 年代以后。这是由 "二战" 对人权、对人性的践踏引起的反思和民主运动的日益高涨触发产生的。其中，存在主义的哲学和人本主义的心理学最具有代表性。

存在主义哲学形成于 20 世纪 20 年代的德国，盛行于 20 世纪 50 ~ 60 年代的法国并普及欧美，其代表人物有海德格尔（1889—1976）、萨特（1905—1980）等。存在主义哲学试图超越主观与客观、物质与精神的争论，视存在为第一性，为人的本质。只有人才能领悟到自己的 "在"，领悟到自己 "在" 的人才能叫做 "存在"；人不能领悟到自己的 "在"，人不能领悟自己的思想、感情、生活方式，就不能理解自己存在的意义和价值，就不能叫 "存在"。所以存在是存在主义的出发点和归宿。存在主义最大的特点：一是以个人为中心，以个人的感受为中心，特别是恐惧、孤独、荒谬的感受，才是人最能够领悟到自己存在的感受；二是强调人的个性和自由。存在主义的代表人物萨特认为，自由不是人的某种特殊属性，而是人的本质。自由等于人的真正存在，它既不服从于上帝或任何绝对权威，也不受任何自然或社会规律的约束。所谓自由主要是选择的自由，它在任何境况下都存在，甚至不选择也是一种选择。同时，自由就是责任，自己选择，自己就要对自己的选择负责。所以自由和责任在存在主义哲学中是紧密联系的。这样，在现代社会中，个人的道德责任不是减轻而是加重了。

存在主义哲学是以社会批判的姿态出现的，但它在教育上的推广还是有很多建设性的内容。比如，奥地利哲学家布贝尔在《我与你》一书中指出，教育的目的不在于传授知识，而在于精神生活的养成。现在的教育是一种训练专业性技能的工具，知识成了统治者，人变成了手段和产品，教育考虑的是学生个别的功能。而教育应该关心的是学生整个人，整个人的品格。要培养这样一种品格，最要紧的是建立一种新型的师生关系，一种相互信任的师生关系。教学过程应该是师生之间的对话，对话的双方都是一个平等的、独立的主体。而现在教师是第二个统治者，学生是接受的对象，是教师的"个人专制"和"非人格化的知识专制"的对象。①

存在主义哲学在教育上的另一个重要推广人是美国的哲学家尼勒。他同样指出，知识的教学应该有助于学生的人格发展，知识的教学应该与学生的情感相联系。要求把课程的重点从事物世界转移到人格世界。他反对学校的专业分得过细，同时希望学校教育中应多增加文学、艺术、历史、哲学的内容，以便更好地"发现自己"。他同样倡导建立新型的师生关系，主张教师帮助学生走向自我实现，而不是灌输知识或帮助学生解决特定情境中的问题。他特别赞赏苏格拉底的启发式教学，认为那是最理想的，最能帮助学生实现自我的方式："苏格拉底的方法是理想的教育方式，因为学生用这种方法学到的是他自己肯定的真实的东西。"②

20世纪60年代以后兴起的人本主义心理学思潮，与存在主义哲学有着密切的联系。存在主义追求的"人的存在"也是人本主义心理学的核心观念，而且，它以动态的观念发展了"存在"的概念，把"人的存在"看成人的潜能得到实现的一种能动的过程。同时，人本主义也极其赞赏存在主义整体地看待人的观念，重视对人的智慧、情感、意志、人格的整合。

人本主义心理学最重要、影响最大的观点是关于人的"自我实现"，"人的潜能的充分发展"；教育应该为培养"自我实现的人"而努力。美国心理学家马斯洛是其代表。马斯洛批判现行的教育不了解人的需要，用社会的观点、学科的观点规定和限制人的发展，用科学限制人

---

① 布贝尔. 我与你［M］. 陈维纲，译. 北京：生活·读书·新知三联书店，1986.

② 白恩斯，白劳纳. 当代资产阶级教育哲学［M］. 瞿菊农，译. 北京：人民教育出版社，1964：117.

的人文发展，用智慧限制人的精神品质的发展；拿人和人做比较，判定和优先满足一部分人的发展，限制和忽视一部分人的发展。他们从心理学的角度强调，个体人的发展潜能是无限的，人的发展需要是多方面的，强调学术潜能与非学术潜能的全域的发展，强调"自我实现的人格"的发展，这种人格是情绪、情感、态度、价值等"情意发展"与理智、知识、理解等"认知发展"的统一。主张开设广泛的课程内容，比如学术性课程、人际关系课程、自我意识和自我实现课程等。

马斯洛认为，自我实现的教育最重要的是创造人格的教育。他说："自我实现的创造性首先强调的是人格，而不是其成就"，①并且强调，创造性并非只为少数天才所固有，而是每个人生来就有的特质，是所有人或大多数人的固有潜能。所以保持孩子生活在一种欢乐、冲动的氛围中，保持健康的开放心态，是保持旺盛创造力的心理条件。

人本主义心理学的另外一位代表人物罗杰斯在教育上的影响更直接。他提出了"以人为中心"的教育主张，反对任何把人放在次要地位的教育，比如以知识为中心，以管理为中心，以教师为中心，以意识形态为中心，等等。所谓以人为中心就是以学生的自由发展为中心，他发明了"非指导性教学"法，要求教师在教育过程中，完全不干预学生的思想，只起一个组织者的作用，学生自己表达，自己指导，自己评价，自己创造，自己选择，成功的教育就在于学生学会了自我表现和自我选择。

存在主义的教育思想和人本主义的心理学曾一度在教育领域引起极大的震动，引起了人们很多的反思。但由于它们的极端性在教育实践中难以具体体现，20世纪80年代以后影响逐渐减弱。然而，它们揭露的问题和提出的一些思想，仍然值得人们深思。

---

① 马斯洛. 存在心理学探索［M］. 李文湉，译. 昆明：云南人民出版社，1987：131.

## 五、终身教育

20 世纪 60 年代以后人文主义思潮在教育上勃兴的另一条脉络，是"终身教育"的流行。它不像人本主义的主张那么激烈，是一种温和地改造现存教育的主张，但影响更大、更持久、更深远。

1970 年，法国的保尔·朗格朗根据他以前任联合国教科文组织成人教育局局长时给联合国的报告，写成了《终身教育引论》一书，提出了"终身教育"（针对学校教育）和"学习社会"（针对学历社会）的概念。1972 年，联合国教科文组织国际发展委员会在主席埃德加·富尔的领导下，完成了题为《学会生存》的报告，建议"把终身教育作为发达国家和发展中国家今后若干年内制订教育政策的主导思想。"① 报告认为："唯有全面的终身教育才能够培养完善的人，而这种需要正随着使个人分裂的日益严重的紧张状态而逐渐增加。"②

人们常常狭隘地将终身教育等同于成人教育、社会教育或职后教育。为此，朗格朗专门做了说明："终身教育显然不是传统教育的简单延伸，它包含着每个人生活的基本问题，新的态度、新的观点和新的方法。首先表现在对人的生存意义问题上。终身教育使我们理解和认识个人在其中显示出的新的意义的整整一系列基本情况；它为影响着个人和社会命运的某些重大问题带来了新的答案。"③

终身教育首先是对学校和一般制度化教育提出的批评。传统的学校体制很难适应作为我们时代特征的日益迅速的变化，无力应付不断提出的新的需求。这些正在导致世界各国社会真正变革的原因很多。最主要的可能是科学发现、技术进步、通信手段的迅速发展、人口激增以及政

---

① 联合国教科文组织国际教育发展委员会. 学会生存——教育世界的今天和明天 [M]. 华东师范大学比较教育研究所，译. 北京：教育科学出版社，1996：223.

② 同①：2.

③ 保尔·朗格朗. 终身教育引论 [M]. 周南照，陈树清，译. 北京：中国对外翻译出版公司，1985：53.

治和经济的动荡。这导致了人的需求的增加，职业种类的迅速增加和更新，这些都会导致社会问题。不断变化的世界要求实施灵活的教育制度。教育必须保持不断的变动和不停顿地进行革新。终身教育正是要建立这样一种灵活多变的教育体制。

终身教育是一项真正的教育计划。像任何同类计划一样，它面向的是未来；它设想培养一种新型的人；它是一种价值体系的传播者；它设计一个社会的计划；它形成一种新的教育哲学……

终身教育是唯一能够适应现代人、适应生活在转变中的世界上和社会中的人的教育。这样的人必须使自己能够不断地适应新情况。因此，他必须是能动的、具想象力和创造性。此外，他必须在各种集团中工作，并能从多科性的观点出发解决问题。

终身教育应保证每个人都充分表现自己的人格。因而，它是实现民主化的有利因素。①

所以与其说终身教育是一种制度，不如说是一种理想，它的基本目的，就是要使人人成为主动适应未来变化的人。事实上，自从终身教育的思想形成以来，已经对世界的教育从理念到制度产生了事实影响。现在世界上近两百个国家在根据时代的要求重建本国的国民教育制度时，很少不考虑终身教育的理念。终身教育将人的终生发展的观念、民主教育的观念有机地联系起来，而且将与网络教育的未来情景有机地联系起来。

人文主义教育也有难以摆脱的困境。第一，如何处理自我探究与系统学科知识学习的矛盾。系统的学科知识毕竟是人类智慧和文明的结晶，但系统知识的学习确实又可能成为个人发展的阻力，特别是面对知识经济新时代突现的创新能力的要求，传统的知识传授显得无能为力。

---

① 查尔斯赫梅尔. 今日的教育是为了明日的世界［M］. 王静，等，译. 北京：中国对外翻译出版公司，1983：27.

系统的知识总是与制度化的教育具有天然的联系，是结构主义的；而知识经济时代是个性化的，解构主义的。第二，如何处理自由发展与规章制度、道德纪律的矛盾。从本质上说，规章制度、道德规范就是为了限制人的自由而制定的。教育如何在这种紧张的关系中调解、缓冲这一矛盾，而不是挑拨和激化这一矛盾，是一件极其值得努力的理论探索和令人动心的实践尝试。

## 第五节　钟摆与融合

大凡具有一些教育学知识的人都会发现，在我们回溯和阐述三种教育理念、三种教育思潮的过程中，遗漏了一个不可遗忘的人物——杜威。杜威对世界教育的影响用"前无古人，后无来者"也许并不过分。说他前无古人，是因为他的影响不仅遍及美国，而且遍及欧洲大陆，继而又极大地影响了社会主义苏联，并波及了东方的中国、日本和土耳其。其影响的时间少则十多年，多则几十年，可以说超越了时空，这在历史上还没有过。说他后无来者，是因为杜威以后，再也没有一个人对世界教育产生过如此广泛而深刻的影响。随着社会多元化程度的提高，恐怕也很难有哪一个人再产生如此巨大而普遍的影响了。可是要对杜威的教育思想做一个简单的概括，把他归入哪家哪派，却不是一件容易的事。杜威的教育思想、价值倾向是什么呢？

有人说杜威是社会本位的教育主张者；

有人说杜威是典型的儿童中心的人文主义者；

也有人说杜威其实是科学主义进化论者。

确实，杜威很重视学校、教育对儿童的社会化作用，强调社会作用的先导性；又非常重视道德教育，认为"道德过程和教育过程是同一的"，甚至说："广义地说，道德就是教育。"① 另一方面，杜威又以对传统教育忽视儿童的批判著称于世，竭力主张以儿童为中心，实现哥白尼式的革命。这两种观点在他的思想、在他的作品中始终贯穿着。他最早的重要作品《我的教育信条》就已经将这两种思想包容在一起。

第一条，什么是教育？我相信一切教育都是通过个人参与人类的社会意识而进行的。这个过程几乎是在出生时就在无意识中开始了。它不断地发展个人的能力，熏染他的意识，形成他的习惯，锻炼他的思想，并激发他的感情和情绪。由于这种不知不觉的教育，个人便渐渐分享人类曾经积累下来的智慧和道德的财富。他就成为一个固有文化资本的继承者。世界上最形式的、最专门的教育确是不能离开这个普遍的过程。教育只能按照某种特定的方向，把这个过程组织起来或者区分出来。②

这显然是典型的社会理想主义的教育观。

教育过程有两个方面，一个是心理学的，一个是社会学的。它们是并列并重的，哪一个也不能偏废；否则，不良的后果将随之而来。这两者，心理学方面是基础的。③
教育是生活的过程，而不是将来生活的准备。④
学校必须呈现现在的生活——即对于儿童来说是真实而生气勃勃的生活。⑤

---

① 滕大春. 杜威和他的《民主主义与教育》[M] //王承绪，译. 民主主义与教育. 北京：人民教育出版社，1990：33.
② 杜威. 我的教育信条 [M] //赵祥麟，王承绪. 杜威教育论著选. 上海：华东师范大学出版社，1981：1.
③ 同②：2.
④ 同②：4.
⑤ 同②：4.

学校科目相互联系的真正中心，不是科学，不是文学，不是历史，不是地理，而是儿童本身的社会活动。①

这显然又是以儿童为中心、以儿童的发展为中心来论述问题的。

基于这样的价值倾向和他对于儿童学习思维过程的研究，提出了与赫尔巴特完全不同的教学方法和步骤：

暗示——设置真实的情境；

问题——在情境中要有刺激思维的问题；

假设——做出解决问题的假设；

推理——根据假设推导结论；

验证——验证结果并得出结论。

在这种以问题为中心的教学中，儿童是学习的主动者，是活动者，是实践者。所以杜威倡导"在做中学"。

关于科学的教育，杜威提出了学科逻辑与心理逻辑的概念。所谓学科逻辑，就是从学科自身的特点和发展过程来组织课程和教学内容，斯宾塞、赫尔巴特课程观教学观就是学科逻辑的典型。所谓心理逻辑，就是针对学生学习的兴趣和能力，按照儿童心理的特点组织课程和教学内容。在这两者之间，杜威显然关注的是心理逻辑：

斯宾塞研究了什么知识最有价值，结论说，从一切观点来看，科学知识是最有价值的。但是，他的论点无意识地假定科学知识可以用现成的形式传授给别人。他的论据不注意我们日常活动的材料转变成科学的形式的种种方法，也就忽略了科学唯一赖以成为科学的方法。②

杜威在这三种教育观念之间的态度，首先表明了教育本身的复杂

① 杜威. 我的教育信条［M］//赵祥麟，王承绪. 杜威教育论著选. 上海：华东师范大学出版社，1981：6.

② 杜威. 民主主义与教育［M］. 王承绪，译. 北京：人民教育出版社，1990：234.

性。其次表现出杜威对三者复杂关系的严肃冷静态度。我们既可以从他的身上看到柏拉图、亚里士多德的影子，更可以看到卢梭、达尔文的精神；而在他以后的认知心理学如皮亚杰，结构主义如布鲁纳，人本主义如马斯洛，又都从他的思想中获得学术资源。所以有人把杜威称为教育思想的蓄水池。意思是说，前人的教育思想都汇集到杜威的教育思想中，后人的教育思想又无不与他有关。也有人把科学主义和人文主义轮流成为社会主潮的现象称为"钟摆现象"。当国家竞争加剧、人才需求成为突出矛盾的时候，科学主义就甚嚣尘上；当社会矛盾激化、人性得不到舒张的时候，人文主义就会高扬头颅；而当信仰危机蔓延、国家威信受到挑战的时候，社会理想主义则会抖擞精神。随着社会发展程度的不断提高，全球化、创新精神和创新能力成为新主题的时候，三种教育观点无论在思想上还是在实践中都明显呈现出融合的趋势。这种融合过程是一个历史实践的过滤过程，也是人们心灵碰撞、认识深化的过程。

理论总是灰色的，生命之树常绿。不论是教育理论的研究者还是正在教育的第一线辛勤工作的工作者，从这种对教育的理想的回溯中，也许可以得到另外一番启发：

1. 历史是发展的，教育是变化的，思想是流动的，一成不变的教育和不思变革的教育思想是缺乏生命力的；不断根据时代的特点调节我们的思想、发展我们的观点才能成为教育变革的主动者；

2. 好的教育是相对的，没有最好，只有更好。绝对的、统一的"好"教育是没有的，好教育不能通过模仿和抄袭而获得。教育是一种创造性的活动，我们只能根据特定的教育目的、教育场景、教育对象、教育任务和教育者自身的条件确定一种相对较好的教育行为方式，选择和创造自己认为好的教育；

3. 教育不是工艺，而是哲学，是艺术，是诗篇，是思想与思想的碰撞，是心灵与心灵的交流，是生命与生命的对话。教育需要用我们的热情和生命去拥抱；

4. 每一位从事教育工作的人，都可以努力成为一名教育家，而不是教书匠，关键在于要有自己对教育独立的理解，有自己对教育的理想，有自己对教育的持久的追求，并逐渐形成自己的风格。

　　教育是生命的火炬，是智慧的桥梁，是通向文明的阶梯；教育事业是一项激动人心的事业，它为我们提供了实现理想、激发智慧的宏大舞台；为实现师生双方的生命价值、获得内在的幸福提供了无限空间。

## 讨论题：

1. 你怎样理解所有的教育都是一种追求理想的教育？
2. 你怎样看待三种具有代表性的教育理想？
3. 谈谈现形势下"我的教育理想"。

# 6

# 校长的文化使命

学校是文化场所，但文化场所不一定有文化。
把学校办成有文化的学校是校长的重要使命。

——作者自题

## 第一节　学校不能没有文化

俗话说："十年树木，百年树人"，它道出了一个朴素而又深刻的真理：一个人受教育的时间是有限的，但育人氛围、育人文化的形成却需要很长的时间。学校文化是一所学校综合素质的体现，也是综合竞争力的表现。在我们逐渐从大教育向强教育迈进的时候，一个学校领导怎么能够营造出自己的学校文化，这是一个具有教育家风范的学校领导必须思考的问题。

什么是学校文化？当初蔡元培先生办北京大学，提出"兼容并包、学术自由"的办学理想，为了这一理想和目标，建立了相应的管理制度、师资选择标准、课程体系，形成了相应的师生关系、讲课方式，等等。总之，形成了自己的文化精神。北京大学的传统经历了许多次历史性变迁，但始终一以贯之，还是北大。

西南联合大学是我们所熟知的。西南联大是几个学校在非常艰难困苦的条件下临时组建的，颠沛流离，办学条件很差。可是艰难困苦的条件阻挡不住教师和学生进行科学研究和对真理的追求。使人惊异的是，在这样的条件下竟然培养出大批的优秀人才。杨振宁教授回忆这一历史时说，西南联大时期是他收获最大的时期之一，那种对真理追求的精神与严谨的科学态度使他终身受益。

我们很多学校，新中国成立后经过一代代学校领导和教师们的共同努力，形成了自己的特色，"文化大革命"期间遭到了很大的破坏，有的校园也没有了，教师也流失了。可是"文化大革命"以后，一旦恢复正常教学秩序，老校长振臂一呼，教师奔走云集，很快一个学校的传统又焕发出了青春。

这，就是学校文化。

学校的建筑特点、校舍布局，学校的服饰风格、环境氛围等，当然是学校文化，但文化的核心是理念，是精神，是灵魂。

现在有些学校很漂亮，有花园式的，有宫殿式的，有宾馆式的，但总觉得缺少什么东西，缺少什么呢？学校文化。

## 第二节　办学理念是学校文化的核心

学校文化首先是学校的办学理念，办学思想。

正确的办学思想、先进的办学理念是学校文化的灵魂。它包括对教育意义和功能的理解，对人才、质量标准的看法，对师生关系、教学关系的观念，等等。我们现在有不少学校教师流动得很频繁，校长和教师的关系是一种雇佣关系，你干得不好我扣你的工资、扣你的奖金，给教师排队，搞末位淘汰制等。把流水线生产的管理方法简单照搬到学校里面来。教师和校长，学生和教师之间是一种提防的关系。校长自己还不服气："我学校的工资已经比人家高了，可是还是留不住教师。"这表面上是学校管理、用人方法的问题，背后却是办学理念、教育思想的问题，是学校文化的问题。学校文化看不见、摸不着，可是它有着巨大的凝聚力，有着巨大的推动力，有着巨大的生命力。校长首先要有自己的办学理念，有了理念才有信仰，有了信仰才有追求，有了追求才有成功。当然这种理念是基于对教育的理解，基于对自己学校情况的理性分析。没有这一基础，不可能形成自己的独特校风。现在我们提出的很多新的教育思想，比如强调培养创造性，培养实践能力，培养善于发现问题、分析问题、解决问题的能力，培养综合能力和社会活动能力等，这些都是非常好、非常先进的办学思想，但如果学校领导只是把这些词句抄到学校的文件上面去，跟学校贴不到一起，与广大师生的观念和感受是两张皮，那是算不得文化的。校领导的伟大之处就在于能够把这种新的、好的、代表文化发展方向的先进理念转化成为具体的、大家认同的观念，形成学校具体的可操作的目标。

现在学校校训中"求实、创新"的词汇特别多，鼓励求实创新是不错的，可是这些话放在哪儿都是适用的。放在学校适用，放在机关、企业也实用。这不是具体的办学理念，不是从自己的土壤里面生长出来的。学校是个文化场所，它不是生产螺丝钉，不是生产半导体晶片，学校是和人打交道的，知识、智慧、品德、性格，都是人的精神生活，是精神性交往。对学校的工作特点不理解，没有自己的追求，就不可能形成自己的文化。蔡元培先生对北大的地位、品位、风气的确定，陶行知先生对大众教育宗旨的确定，为我们树立了榜样。

其次是要把办学思想和理念转化为教师的共同追求。如果学校的先进理念只是为少数人所理解所接受，那称不得学校文化。如果广大教师能以真切生动的语言讲出来，举学生的例子，举家长的例子，举课堂的例子来说明理念，就说明学校奋斗目标真正被教师认同了。相反，有些学校，请了许多大学的专业人员帮助设计办学规划、办学理念，很漂亮，印得也很好看。可是跟教师座谈的时候，问他们对学校的规划、理念怎么看，教师说他们不知道啊。办学思想是做出来的，而不是从自身的土壤里面长出来的，没有变成学校师生员工的共同追求，没有得到大家的认同。那只是纸上谈兵。办学理念不是从书上抄来的，不是突然听到一个好的提法就把它抓来的。它是一个学校的领导根据自己的地方、人和时代的特点，在工作中和老师、同学、家长共同努力，在不断探求和发展的过程中逐渐形成的，符合自己特点的那样一种追求目标。

要使广大的教师认同先进的办学理念，最重要的是发动教师、组织教师参与教育改革的活动，让教师在活动中内化为自己的理念。譬如新的课程改革正在全国推进，这次课改是一个教育思想的更新运动。课程改革的成功与否，与教师的思想观念有着极大的关系。如果我们用原来的思想观念去进行课程改革的话，是不能成功的。这次课程改革不仅是课程设计的变化，而且是教学价值观的更新，是一种新的师生关系的构成，是一种新的教学关系的创造。它提倡问题意识，提倡综合运用，提倡探究性学习，提倡和生活的联系，提倡实际生活能力的培养。所有这些都在改变着传统的师生关系。只有参与到课改的实践中去，体验到课改的酸甜苦辣，新理念才能真正建立起来。

第三是建立相应的人性化的管理制度和管理措施。每个学校都有自己的规定、守则、纪律、程序等，也就是管理制度和管理措施。那么，我们制定这些规定和措施是为了什么呢？它与我们的办学理念一致吗？它有利于教师和学生的发展吗？它与整个学校文化融为一体吗？管理的目的本来是为了目标的实现，对于学校来说，就是为了学生和教师的发展。可是我们常常看到的情况是，制度和措施本身成了目标。当我们一项合理的工作无法开展时，其原因经常是因为"规定是这样的"。当一项不合适的做法不得不持续时，其理由也往往是"规定是这样的"。我们把这种现象称为管理主义，也有人把它称为管理的异化。怎样建立起人性化的、弹性的管理制度，是学校文化建设的重要任务。

学校文化的第四个重要方面，是学校办学特色的形成。办学特色的形成和办学理念是一脉相承的。实际上，办学理念明确，办学理念能具体化，办学理念能够被教师所认同并变成自己的行动目标，学校就一定会形成自己的办学特色。学校是人文荟萃之所，是人与人直接交流的地方，有自己的特色是顺理成章的事。人和人有很大的不同，不同的学生群体和教师群体之间也有很大的不同。这样的场所，淹没了自己的特色是很遗憾的。试想，每个家庭都有每个家庭的特色，学校怎么会没有自己的特色呢？但特色的形成不是几个人想要搞一个特点，然后坐下来议论，"搞一个什么特色吧"，就成了特色的。特色需要细心的观察，长期的探索，多方面的互动，用心的栽培。

学校的特色建设会遇到很多困难，包括社会的压力、家长的压力，也包括我们教师内部的压力。但是如果你有这样一种思想，这个思想又是切合实际的，能被大家所接受，就能克服困难。一个学校有自己的特点，才有竞争力。我们现在没有学校淘汰制，如果有学校淘汰制的话，首先淘汰的是没有特色的学校。这个道理很简单，你到商店买衣服，那些没有特点的衣服是卖不掉的，最有特点的衣服是最先卖掉的。每个孩子都是有特点的，每个孩子都有他的长处和短处，作为学生、作为家长，当然希望自己的一技之长、性格中与众不同的地方能够有机会得到发展，而不想在学校里被抹平。一个学校一旦形成了自身的特色，家长就会努力把有这方面特点的孩子送往这个学校。

## 第三节　教师文化是学校文化的依托

学校文化与教师文化是相辅相成的，教师文化是学校文化的一个重要方面，又是学校文化发展的动力。

现代教师组织行为的观点认为，按照行政工作的特点来领导学校、管理教师是不合适的。教师具有自由职业的特征，教育改革的深厚动力应该来自教师自身。教师如果处于被动的地位，教育的改革自上而下地一层一级推进，结果跟原来的目标往往有很大的差距。比如美国的教学改革，从 1958 年开始，改了那么多年，花了那么多钱，但大家认为还是不成功的。由于政府推动教育改革的办法受到了很大的挑战，所以到了 20 世纪 80 年代以后，有了一种截然相反的观点，认为学校同样应该接受市场的挑战，接受市场的调节。美国在许多州实行的教育券计划就是把学校推向市场的典型行为，试图用这种方法满足学生对学校的选择要求，强化对优质学校的鼓励和对劣质学校的淘汰。

20 世纪 90 年代以后，一种新思想发展起来，认为这些办法都可以尝试，但作为学校来说，更重要的是要建设自己的文化。学校不是工厂，学生不是产品，不能简单套用市场运作的方法，即使按照市场的办法来选择学校，学校自身的凝聚力、学校内部的竞争力还是要体现在学校自己的文化上，体现在教师文化上。

从学校领导的角度说，所谓教师文化首先是教师的发展。学生有发展的要求，促进学生的发展是我们的职责；教师也需要发展，促进教师的发展也是我们的责任。对教师我们不能只使用，而不关心他们的发展。现在全世界都在提倡关注教师的成长，关注教师的专业发展，激励教师的成就感。教师的发展是有阶段的，教师的发展至少可以分成三阶段：入职的第一年；第二年到第五年；第五年以后进入一个比较平稳的阶段。在这三个不同的阶段教师所需要得到的帮助是不一样的。教师没有发展，对教师来说是一件很不幸的事，对一个学校来说也是很不幸的事，当然最不幸的还是学生。一个优秀的校长应该制定出每个教师的发展规划，要让教师自己感觉到，他的一步一步发展是有目标的，学校也清楚，他自己也清楚。如果一个教师感觉到他在学校里就是上上课，不知道将来在精神上、业务上会怎么发展，那么他会很不安心；反之，他就会和学校取得高度的认同，把学校作为他自己生命的一个部分。如果一所学校营造出教师发展的浓烈氛围，教师都有强烈的发展动机和明确发展目标，那么这所学校一定充满活力，具有不断向上、不断创新的盎然生气。

其次，教师队伍的建设要形成教师讨论的气氛。要鼓励不同的思想，不同的理念，不同的教学方法的交流。有人认为一个教师团体的内部的争论是教师文化的核心。在一个教师群体当中，能够有不同的思想、不同的观念、不同的教学模式、不同教学方法的交流和冲突，是非常宝贵、是非常重要的。如果一个学校的教师没有不同的思想，一个人说了大家都认为好，这不是一个学校的幸运，而是一种灾难。特别是一些有威信的学校领导，一些有威望的老教师，尤其要注意对不同思想、不同观念、不同行为的支持。学校就是学校，学校在很多地方和机关、企业都不同。它是一个知识的场所，文化的场所，思想的场所。知识的交流，思想的碰撞，文化的沟通，都是它发展的必要条件。而且这种文化本身对学生来说就是一种熏染，就是一种陶冶。学生会感受到各种不同风格的存在，从而知道，对不同的问题、不同的现象可以有不同的看法，可以有不同的解决问题的方法。这是我们教师队伍建设中非常重要的一环。如果教师没有交流，大家不动脑筋，不想问题，死水一潭，这很可怕。少数人动脑筋，大部分人跟着跑也不是一个好的现象。怎么营造一个教师内在自由争论的气氛，是一种境界。

学校是一个文化单位，是一个文化场所。但是文化场所不一定有文化。学校从事的是文化的传承、积累、创新的工作，但学校自身不会自动生成文化，它需要校长带领大家有意识地去建设。建设富有特色的学校文化，是校长的崇高使命。

## 讨论题：

1. 你怎样理解学校文化？
2. 谈谈你对"学校文化的核心是办学思想、教育价值观"的看法。
3. 谈谈你对学校文化与办学特色关系的理解。

# 教育家的诞生

> 教育家是一个时代教育文化的象征。
>
> ——作者自题

## 第一节 教 育 家

我经常听到这样的发问："中国当代有没有教育家?"有的发问就更加明确地暗示中国当代没有教育家："中国何时能产生教育家?"2003 年教师节,温家宝总理在人民大会堂接见教师代表时说:"要像宣传劳动模范、宣传科学家那样宣传教育家,宣传优秀教师"。在 2006 年的政府工作报告中,温家宝总理特别提出:"要培养一支德才兼备的教师队伍,造就一批杰出的教育家"。可见,在总理的心目中,教育家不是有没有的问题,而是宣传不够的问题。

中国有近世界五分之一的受教育人口,有一千多万中小学教师和一百万大学教师;中国教育有悠久的历史文明,有素质教育的当代实践,我们不仅应该有自己的教育家,而且事实上也孕育着并产生着这样的教育家。霍懋征、于漪、斯霞、孙维刚……这些我们熟悉的名字,他们有些已经离我们而去，有些还在关心或从事着教育工作，他们难道不能说是教育家？几年前我和我的同事们组织编写了《中国当代教育家丛书》，丛书的每位作者所展现的教育风采都激动人心，我想他们每位都无愧于教育家的称号。

教育家是优秀的、出色的，也是平常的，平凡的；但是平凡中又有不平凡。

## 一、何为教育家

什么样的人才能称得上教育家呢？我在互联网上搜索了一下，发现有关的内容还真不少，但众说纷纭，莫衷一是。现在摘取几种有代表性的观点如下。

**刘道玉（原武汉大学校长）**：教育家必须具备 5 个条件，一是执著地热爱教育——一个不爱教育的人不可能成为教育家；二是潜心研究教育理论；三是勇于进行教育改革、创新的实践；四是能够提出独到的教育理念；五是出版有系统的、有代表性的教育论述。

**顾明远（中国教育学会会长）**：我认为，教育家应该是长期从事教育工作、有正确的教育观念和高尚的职业情操、有自己的理论见解、在教育界有较大影响、被广大教师所公认的人，不论他是第一线的教师，还是教育行政工作者或是教育理论研究者。对教育家要求不能过低，但也不能让人觉得高不可攀。

**方明（陶行知研究会会长）**：教育家首先要有献身精神，要"捧着一颗心来，不带半根草去"；教育家要"爱满天下"，爱每一个人；教育家要能创新，有自己的理论体系，并经得起实践检验；教育家要讲真话、做实事，"千教万教教人求真"；教育家培养的学生要是个"真人"，能创造、有抱负，能为祖国和人民献身。

**霍懋征（全国模范教师）：**作为一个老师，首先要爱孩子，要全身心地投入到教育事业中去。不管遇到什么困难，始终勇往直前。这样的人也许称不上教育家，但他（她）一定能成功，能把孩子教好，把事业做好。我自己就经历了"文革"中的各种摧残，但我从没有后悔过自己的选择，60 年来一直执著地爱着教育事业。现在是 21 世纪了，时代在变化，事业在前进，孩子们在不断成长，工作需要老师不断地学习，在实践中不断进步。通过实践，通过不断的学习，老师要把自己的实践上升到理论层面，并要不断跟上时代的要求，更新充实自己的理论。同时，这个理论要能推广，能影响后人。

从上述的观点和论述中我们可以看出，大家对教育家称谓的要求还是比较高的，远远高于作家、科学家、艺术家的要求。但也不是高不可攀。教育工作者队伍中这样的人物不乏其人。

## 二、教育家何为

在上面关于教育家的讨论中，并没有一个关于教育家的明确定义，也没有一种关于教育家定义的方法，是客观标准和主观看法混合在一起的。我想，我们需要有一个定义的方法，哪怕是最简单的定义方法，就是角度要统一。所以我想从教育家干了什么以及他们工作的结果来给教育家一个标准和定义的方法。综合各种关于教育家的观点，依据我个人的看法，提炼出教育家的 10 条客观标准。

1. 培养了大批人才，其中不乏杰出人才
——既然是教育家，是培养人的工作，它的最直接、最主要的产品就是人才。人们提到教育家的孔子，首先想到的无疑就是他的"弟子三千，贤人七十"。虽然这似乎很自然，但这里就把许多在很多人看来无疑属于教育家的对象排除在教育家的范围之外了，比如教育理论家，教育思想家，教育管理家。他们对教育也作出了很大的贡献，但他们没有直接从事学校教育活动，便不在我们的定义内。后面的很多条件也都是以这一条为前提的。

### 2. 受到学生广泛拥戴

——称得上教育家的人一定是受学生欢迎的，一定是在与学生的长期交往过程中深受学生爱戴的。要做到这一条，就必须热爱学生，尊重学生，能够一视同仁，公平地对待所有学生，而且能因材施教，促进每个学生的发展。要做到这一条并不容易。从事过教育工作的人都知道，要喜欢优秀的学生、美丽的学生是容易的，而喜欢愚笨的学生、残缺的学生就不那么容易了；要重视有能力的、活跃的学生是容易的，要重视能力不强、性格消极的学生就不那么容易了。这正是很多人终身从事教育工作，却成不了教育家的原因。

### 3. 能激发员工把教育作为一种崇高事业的热情

——教育家并不是个人奋斗的英雄，而是影响、团结、激励周围的教师共同追求教育理想的领袖。要能够激发员工的热情，必先建立教育的理想和激动人心的目标。人是有理想的动物，成就感是人的重要社会情感，远大而又具有可操作性的理想，是激励人心的精神动力。在为教育理想奋斗的征途上，教育家不是孤军奋战，而是一个先行者、示范者、发动者，是领跑人，是带领群体前进的领袖，是引导群体发展的协调人。

### 4. 具有广为人知的教育观点

——教育家不仅要有自己的教育观点而且能被人们接受。有自己的教育观点且为人接受，需要有对教育的独立见解，有自觉的教育理论。

蔡元培提出兼容并包、兼收并蓄的办学主张，这就是他广为人知的教育主张，这与他对大学精神的理解有着内在的联系。

### 5. 具有可操作、可模仿的教育方法

——教育家是教育理论的实践者，在取得教育成就的过程中必然形成了某些行之有效的、简洁明了的教育方法。南开大学老校长张伯苓先生要求，下午三点半后，所有学生不许留在教室里，必须出去运动，出去玩，并且常和学生一起打球。这看起来很简单的教育方法其实是教育理论的具体化、操作化。张伯苓常念叨一句话，"孩子们就像一群野马，哪能关在笼子里？"上海育才中学老校长段力佩提倡读读、讲讲、议议、练练的"茶馆式教学法"，就是把启发式教育理论具体化的实例。这些方法既有深厚的理论基础，是多年的探索心得，又毫不神秘，极易模仿。

### 6. 逐渐形成了自己的教育风格

——在长期的教育实践中，逐渐形成了自己的教育风格，或细腻，或潇洒，或严谨，或活泼，或以智育见长，或以体育著称，或以美育闻名……是衡量是否堪称教育家的整体标志。这需要有长期的实践，细心的观察，用心的总结，理论的提升，再回到实践中去锤炼，始成风格。

### 7. 有教育定心力

——教育观念异彩纷呈，教育思潮此起彼伏，你听谁的？在教育活动中能从善如流，又坚持自己，坚持自己认定的真理，这就叫教育定心力。要具有教育定心力，条件是理论认识达到一定信念的程度。教育家首先要有思想，有对教育的独立见解，有对教育理想的不停追求。自古以来人们对教育的期望、对教育的理解就有不同，因此，每个人都有可能具有自己的教育思想。但是教育家的教育思想更深刻、更系统、更自觉、更富有创见。并且坚持自己的教育信念，不人云亦云。

8. 影响超出学校围墙

——所谓影响超出围墙，就是超出本校的范围，甚至超出教育领域。它不仅需要在实践中不断改进和提高教育艺术，把经验上升到具有普遍意义的理论，而且要善于把学科教学和学生的发展、学校的发展、教育的发展结合起来，不仅是一个学科教学专家，而且能超越学科，上升到具有普遍意义的高度。

教育家不仅要有教育心，而且要有社会责任心，要成为社会活动家，要把教育的理念扩散到整个社会，以先进的教育理念引导全社会的发展，同时争取全社会对教育的支持。

9. 能根据社会的要求做必要的变化

——教育有自身的特点和发展规律，但又不是一成不变的，教育随着社会的发展而发展，尤其在社会转型时期，教育更要与时俱进，感受时代的脉搏，代表时代的声音。在历史上，很多的教育家是以改革家的姿态出现的，是改革的实践家、创新的实践家。他们善于发现新情况、新问题，善于看到新趋势、新机遇，采取新方法，建立新机制。面对着日新月异的社会形势，面对着不断把社会上的新经验、新形势、新体验带到学校里来的生龙活虎的学生们，不仅要把握时代的脉搏，还要敢于领时代之先，才能称得上是真正的教育家。

教育家要敢于超越别人还敢于超越自己。只有敢于和善于超越自己，敢于顺应时代发展的要求，否定自己以前成功的经验或做法，建立新的模式或制度，才能立大志、建大功、成大业。

10. 有人格魅力，道德高尚

——毫无疑问，教育家还具有伟大的人格。教育是直接与人打交道的，教育不仅以思想观念影响人，而且以行为榜样影响人，榜样有时比言语更重要。教育是挚爱，这种爱，越是无私，越是深厚；教育是思想，这种思想越现实，越智慧；教育是信仰，信仰越坚定，越有力量；教育是追求，追求越执著，越有成果，这种执著达到痴迷的程度，就一定有大成果。在追求理想教育的道路上，有思想的冲突，有人际关系的矛盾，最重要的是有行动的风险。没有"捧着一颗心去，不带半根草回"的大爱，没有"我不入地狱，谁入地狱"的大义，没有"敢为人先，誓创一流"的大志，岂有大成就者？孔夫子"颠沛流离，累累若丧家之犬"而不改其志，陶行知"脱下长衫"穿上草鞋，"与牛大哥做朋友"，皆几十年如一日，始成教育家。没有对信念的追求执著到痴迷的程度，是无法做到的。苏格拉底、裴斯泰洛齐、马卡连柯、孔子、陶行知……当我们提到这些名字的时候，联想到的往往是他们视学生如己出，视学校如家庭，视教育如生命的形象。真正的教育家，留给人们的是思想，更是人格。

当然，金无足赤，人无完人。教育家是有个性，也是有缺陷有不足的。而且越是有个性，越是具有改革创新精神，自身的缺陷或不足就越容易暴露出来。所以教育家并不是没有缺点和弱点的人。有缺点、有弱点，才更真实，更可爱。

下面，我们把教育家的客观标准和主观条件列表如下。

| 教育家的客观标准 | 教育家的主观条件 |
| --- | --- |
| 1. 培养了大批人才，其中不乏杰出人才 | 1. 有长期教育实践 |
| 2. 受到学生广泛拥戴 | 2. 热爱、尊重、公平对待学生，因材施教 |
| 3. 能激发员工把教育作为崇高事业的热情 | 3. 有教育理想和目标，行动领袖 |
| 4. 具有广为人知的教育观点 | 4. 有自觉的教育理论 |
| 5. 具有可操作、可模仿的教育方法 | 5. 能把教育理论具体化 |
| 6. 逐渐形成了自己的教育风格 | 6. 长期追求，用心思考，理论提升 |
| 7. 有教育定心力 | 7. 认识达到信念程度 |
| 8. 影响超出学校围墙 | 8. 有社会责任感，社会活动家 |
| 9. 能根据社会的要求做必要的变化 | 9. 能与时俱进 |
| 10. 有人格魅力，道德高尚 | 10. 大爱，大志，大智，大勇 |

# 第二节　大 教 育 家

温家宝总理曾多次看望钱学森先生，有一次钱老问总理，"为什么现在中国的教育培养不出杰出的人才？"2006 年温总理多次召开教育工作座谈会，也拿这个问题问过参加座谈的专家学者。总理特别谈到我们要有自己的大教育家。可见在总理看来，教育家和大教育家还是有区别的。他还说，目前我们在各个领域并不缺领军人物，但缺乏大家，包括大科学家和大教育家。我想，很多人对我国当代有没有教育家存有疑问，主要也是觉得缺乏大教育家。

清末国学大师王国维先生在《人间词话》中说：古今之成大事业、大学问者，必经过三种境界："昨夜西风凋碧树，独上高楼，望尽天涯路"，乃第一境界；"衣带渐宽终不悔，为伊消得人憔悴"，乃第二境界；"众里寻他千百度，蓦然回首，那人却在，灯火阑珊处"，乃第三境界。以作诗填词的境界比喻做事做人的境界，很妙、很美，给人很多启发。拿它来比赋教育家的最高境界，那就是达到使命、理念、责任与对教育规律的把握浑然天成的程度。这样的境界正是大教育家的境界。

什么样的人可称得上为大教育家？中国的孔子、蔡元培、陶行知，外国的苏格拉底、柏拉图、裴斯泰洛齐、马卡连柯无疑都可称为大教育家。总结起来，大教育家确实具有一些常人不具备的品质。

**有人通过对 50 位世界著名教育家的统计分析，得出了这样一些结论：**

（1）教育实践，尤其是教育管理工作对教育家施展自己的抱负以及不断提高、完善自己的教育思想、育人方法是非常有益的，教育家的最佳实践基地主要是中小学，且私学的优势大于官学。

（2）著名教育家除对教育学有巨大贡献外，一般的也同时是杰出的哲学家、文学家或心理学家等，所以说教育家应是杂家，是通才，中西教育家在教学素养方面的差异较大。

（3）教育家强烈的助人成才欲望，大多是通过直接的教学活动来体现的，少数教育家则主要通过其作品去实现。

（4）政治、文化等环境因素对教育家的崛起和成长具有很大的影响，一个成功者总是既善于适应环境，更勇于选择环境。信仰专制的年代最不利于教育家的成长。

（5）著名教育家在政治上多崇尚国家主义，在社会磨难上是遭受政府制裁最多的一类学者。他们在哲学上信奉唯物主义的较多，在宗教上担任神职的并不多。他们的家庭不幸多于常人，这使其更趋于早熟。对于一个雄心勃勃、自强不息、崇尚进步的国家和民族来说，当社会的动荡或转型期到来时，即是杰出教育家得以产生的最佳时机。

比起我们通常说的教育家来，大教育家有其更加非凡之处。

### 1. 具有伟大的社会理想和拯救人类的宏大抱负

堪称大教育家的人，绝不仅是教育大家，而且一定是社会的大家，思想的大家，有伟大的社会理想和宏大的社会抱负，有为天地立心，为生民立命，为往圣继绝学，为万世开太平的大志向。孔子的社会理想是"克己复礼"，建设君仁臣忠、父慈子孝、夫和妇顺、兄友弟恭、朋诚友信的伦理社会；培养人才的理想是君子贤人。陶行知的社会理想是建立民主的好人社会，使平民都能受教育，培养不虚伪、不狡诈、有责任心的"真人"。在几乎所有中外大教育家心目中，社会理想、社会目标和教育理想、教育目标是相辅相成的。

### 2. 具有对教育功能的超历史认识，具有关于教育的真知灼见

在人类几千年的文明史上，杰出的政治家、军事家、思想家不乏其人，他们对社会的理解和洞察无不具有超乎常人之处，大教育家也不例外。但大教育家与其他杰出人才最大的不同，在于他们主张通过教育实

现其社会理想。他们认为，社会好坏根本在于人心，人心好坏关键在于教育。他们的政治理念、政治追求虽然各不相同，但他们的政治路线都是通过建立好教育，培育好人心，建设好社会。孔子强调，如欲建国君民，必先化民成俗；陶行知主张通过平民教育，培育率性真人，建立好人社会。他们在政治上，都主张改良，反对暴力，热爱生命，热爱和平，所以他们对教育的功能有超乎常人的认识，特别强调教育的重要性。在他们那里，他们把教育视为最大的政治，用现在的话说，他们是把教育放到国家战略的高度来强调。也正因为此，大教育家的教育思想始终是争论的对象，甚至是攻击的对象。

### 3. 具有天降大任于斯人的社会使命感和改造社会的坚强意志

要想成为大教育家，不唯有超人卓绝之才，还要有坚忍不拔之志。因为大教育家的教育理念和教育主张具有超时代性和超社会性，这就不可避免地：第一，可能与现行的政治制度、社会秩序有冲突；第二，可能与改善政治的很多其他主张有冲突；第三，可能与很多人对教育的看法，与现行的教育制度、教育方法有冲突。所以，他们的主张不仅会受到政治的压力，舆论的压力，而且可能受到教育内部的排挤和打击。没有顽强的意志，没有持之以恒的决心，没有牺牲地位、金钱、名誉、个人生活的精神，是难以成为大教育家的。你可以任意列举一位大教育家，看看在他奋斗的征途上是不是都充满了障碍、困难和坎坷，都有可歌可泣的动人故事。

### 4. 具有人才培养的卓越成就

如果孔子没有颜回、子路这样的"高才生"，没有孟子、朱熹、康有为这样优秀的精神上的学生；如果苏格拉底没有柏拉图、亚里士多德这样的"高才生"，而且还是"我爱吾师，我更爱真理"的学生，他们就很难戴上大教育家的桂冠。而要培养这样的高才生不是靠权力、金钱、地位能办到的。为什么？因为首先，你要能够慧眼识英才；其次，你要能够吸引聚集人才，你的知识、智慧、视野、胸襟使天下英才愿意追随你；第三，这些人才要认同你的信仰，愿意与你为了实现理想颠沛流离，休戚与共，景行影从。我想，毫无疑问，你一定会发现，大教育家对自己教育理想的追求，已经成为一种信仰，已经具备了某种宗教的成分。否则，它就不可能产生那么巨大的精神力量。这是可以理解的，任何信仰都具有某种宗教的色彩。

教育家是个人努力的结果，更是环境和制度造就的产物。现在正是一个需要大教育家并且产生大教育家的时代，时代呼唤有更多影响力的教育家。

## 讨论题：

1. "中国当代没有教育家。"谈谈你对这一观点的看法。
2. 教育思想家与教育家可以划等号吗？
3. 请收集、分析一位教育家的成长过程。

责任编辑　杨晓琳
版式设计　贾艳凤
责任校对　张　珍
责任印制　曲凤玲

**图书在版编目（CIP）数据**

教育新理念／袁振国著. —2 版. —北京：教育科学出版
社，2007.8（2010.1 重印）
　（新世纪教师教育丛书／袁振国主编）
　ISBN 978 − 7 − 5041 − 3996 − 2

　Ⅰ. 教⋯　Ⅱ. 袁⋯　Ⅲ. 教育理论—研究　Ⅳ. G40

中国版本图书馆 CIP 数据核字（2007）第 119298 号

| | | | | | |
|---|---|---|---|---|---|
| 出版发行 | **教育科学出版社** | | | | |
| 社　　址 | 北京·朝阳区安慧北里安园甲 9 号 | 市场部电话 | 010 − 64989009 |
| 邮　　编 | 100101 | 编辑部电话 | 010 − 64989593 |
| 传　　真 | 010 − 64891796 | 网　　址 | http://www.esph.com.cn |
| 经　　销 | 各地新华书店 | | |
| 制　　作 | 北京金奥都图文制作中心 | | |
| 印　　刷 | 保定市中画美凯印刷有限公司 | | |
| 开　　本 | 169 毫米×239 毫米　16 开 | 版　　次 | 2007 年 8 月第 2 版 |
| 印　　张 | 12 | 印　　次 | 2010 年 1 月第 4 次印刷 |
| 字　　数 | 160 千 | 定　　价 | 24.00 元 |

如有印装质量问题，请到所购图书销售部门联系调换。